대한민국 교육에 대해 묻다
챗GPT VS 바드

이민환, 강근명, 김영건, 김윤경, 김지수

김한재, 서영수, 서희동, 유수호, 유형동

대한민국 교육에 대해 묻다

발　　　행 | 2023년 12월 28일
저　　　자 | 이민환, 강근명, 김영건, 김윤경, 김지수,
　　　　　　 김한재, 서영수, 서희동, 유수호, 유형동
디 자 인 | 어비, 미드저니
편　　　집 | 어비
펴 낸 이 | 송태민
펴 낸 곳 | 열린 인공지능
등　　　록 | 2023.03.09(제2023-16호)
주　　　소 | 서울특별시 영등포구 영등포로 112
전　　　화 | (0505)044-0088
이 메 일 | book@uhbee.net

ISBN | 979-11-93116-44-9

www.OpenAIBooks.shop

대한민국 교육에 대해 묻다
챗GPT VS 바드

이민환, 강근명, 김영건, 김윤경, 김지수

김한재, 서영수, 서희동, 유수호, 유형동

목차

Q. 대한민국 교육시스템의 장점은 무엇입니까?

Q. 대한민국의 교육은 내가 일하는 직장에 어떤 영향을 미칠까요?

Q. 대한민국의 교육은 내가 가진 관계에 어떤 영향을 미칠까요?

Q. 대한민국의 교육은 미래 사회에 어떤 영향을 미치고 있습니까?

Q. 대한민국의 부모들은 자녀의 교육에 대해 어떤 어려움을 겪고 있습니까?

Q. 대한민국의 교육은 내가 가진 신념에 어떤 영향을 미칠까요?

Q. 대한민국의 교육은 내가 가진 꿈에 어떤 영향을 미칠까요?

저자 소개

강근명 박사는 ESG 경영 전문가이며, 중소기업 경영 컨설팅 및 ESG 전문가로서 ESG 보고서 작성 및 검증을 담당하며, AI 인터페이스와 자동화 솔루션을 연구하고 있습니다.

김영건은 새로운 것을 배우고 도전하는 것을 좋아하는 모험가입니다. 타인의 성장과 발전을 돕고, 세상에 선한 영향력을 미치는 삶을 사는 것이 꿈이고, 그렇게 살아가고 있습니다.

김윤경 책블리는 책을 사랑하는 인공지능을 전공한 컴퓨터 공학도로서 IT 전문성을 기반으로 소비재, 헬스케어, 대형마트, 편의점 등 다양한 산업군에서 새로운 마케팅 혁신을 최전선에서 이끌어왔습니다.

김지수는 빠르게 변화하는 IT 시장 속 정보를 많은 사람들과 공유하는 것을 좋아하는 테크 인플루언서로, 커뮤니티 운영부터 창업까지 다양한 테크 관련 활동을 하고 있다.

김한재는 새로운 것을 탐구하기를 즐기는 사람. 뉴욕소재 SVA에서 만화전공을 한 세종대 애니메이션 석사, 상명대 감성공학 박사이고 만화애니메이션콘텐츠연구기획 노리토이대표이다.

서영수는 학습코칭상담에 관심을 갖고 대한민국의 교육을 고민하는 교육자이다. 최근에는 인공지능과 산업구조에 관심을 갖고 학생들의 미래직업을 생각하는 직업상담사로 활동영역을 넓히고 있다.

서희동(피자굽는멘토)은 호기심 많은 창업전문가로, 창업 컨설턴트로 활동하며, 스타트업 기업을 지원하는 일을 하고 있습니다. [스타트업과 지역창업생태계 활성화] 책을 집필했습니다.

유수호는 스타트업에서 커뮤니티 서비스를 개발, 운영하고 있으며, 본인 역시 활발한 커뮤니티 활동을 통해 지식과 경험을 공유하고 함께 성장하는데 관심과 노력을 기울이고 있습니다.

유형동은 전남매일 기자로 언론계에 입문, CMB광주방송·TV조선 방송기자로 근무했다. AI타임스 부장을 거쳐 외국계 언론사 본부장을 지내면서, AI 수도 광주에서 AI 전문기자로서 사명을 하는 중이다.

대한민국 교육에 대해 묻다

챗GPT VS 바드

Q. 대한민국의 교육은 대한민국의 미래에 어떤 영향을 미칠까요?

챗GPT가 답하다

교육은 미래를 이끌어갈 세대를 양성하는 중추적인 역할을 담당하며, 대한민국의 교육은 이 미래에 큰 영향을 미치게 됩니다. 교육은 개개인의 개성과 잠재력을 끌어내는 도구일 뿐만 아니라, 사회의 이해와 적응력, 그리고 혁신적 사고를 배양하는 주요 수단입니다.

첫째, 교육은 첨단 기술과 지속 가능한 발전을 이끌어낼 인재를 육성하는 플랫폼입니다. 이를 위해 과학, 기술, 공학, 수학(STEM) 분야에 초점을 맞추는 것이 중요합니다. 디지털 시대에 우리는 AI, 빅 데이터, 사이버 보안 등의 분야에서 전문가를 필요로 합니다. 이러한 전문성은 우리 사회가 기술 발전을 수용하고, 도전하는 데 필수적입니다. 하지만 이것이 유일한 중점 분야가 아닙니다. 인문학, 예술, 사회과학 등의 분야에서도 전문가를 양성해야 합니다. 이러한 다양한 분야의 전문가들은 사회에 다양한 시각과 접근법을 제공하며, 문제 해결과 창조적 사고를 촉진하는 데 기여합니다.

둘째, 교육은 학생들에게 사회적 가치와 의식을 심어주는 중요한 역할을 담당합니다. 이는 우리가 사회의 구성원으로서 역할을 이해하고, 각자의 행동이 커뮤니티와 나라, 심지어는 전 세계에 미치는 영향을 인식하도록 돕습니다. 학교에서 학생들은 인권, 평등, 사회 정의와 같은 중요한 가치를 배우게 됩니다. 이러한 교육은 사회적 책임과 윤리적 원칙에 대한 이해를 높이는데 필수적입니다. 그리고 이것은 우리가 지속 가능한 미래를 위해 필요한 실천을 실현하도록 돕는 근본적인 토대를 제공합니다.

셋째, 교육은 평생학습의 중요성을 강조합니다. 빠르게 변화하는 현대 사회에서는 지속적인 학습이 필수적입니다. 고용 상황, 기술 트렌드, 사회적 이슈 등이 변화함에 따라 개인이 이러한 변화에 적응하고, 성장하고, 도전하는 능력이 요구됩니다. 교육은 이러한 변화에 대응하도록 학생들을 장려하고, 능력을 키우는 데 도움을 줍니다. 그 결과로써, 교육은 학생들이 평생학습의 중요성을 인식하고, 새로운 기술과 정보를 습득하며, 새로운 문제에 대처하는 능력을 향상시키는 데 도움이 됩니다.

이러한 모든 요소들은 대한민국의 교육이 국가의 미래에 어떻게 영향을 미치는지를 설명하는 데 있어 중요합니다. 교육은 그 자체로 미래를 위한 투자이며, 이러한 투자는 개인의 성장, 사회의 발전, 그리고 국가의 경쟁력을 높이는데 기여합니다. 교육이 제공하는 지식과 기술은 사회와 경제의 발전을 위한 필수적인 도구입니다. 그러나 이것은 교육의 역할이 전부는 아닙니다. 교육은 우리의 가치관을 형성하고, 사회에 대한 이해를 높이는 역할을 합니다. 이러한 역할은 교육이 미래에 미치는 영향의 본질을 반영합니다.

물론, 이러한 역할을 성공적으로 수행하려면 교육 시스템 자체가 변화와 혁신을 수용하고 적용할 수 있어야 합니다. 이는 교육 방법, 커리큘럼, 평가 방법 등을 포함합니다. 예를 들어, 디지털 기술의 발전은 교육의 접근성을 높이고, 학습 경험을 개인화하는 데 이용될 수 있습니다. 또한, 현장 기반 학습, 문제 해결 학습, 협업 학습 등의 방법은 학생들이 실제 문제를 해결하는 능력과 창조적 사고력을 향상시키는 데 도움이 될 수 있습니다. 그리고 평가 방법 역시 학생들의 다양한 능력과 잠재력을 반영하도록 변화해야 합니다.

결국, 대한민국의 교육은 미래에 많은 영향을 미치게 될 것입니다. 그 영향은 개인의 성장과 발전에서부터, 사회의 변화와 발전에 이르기까지 다양하게 나타날 것입니다. 그것은 첨단 기술을 이해하고 적용하는 인재를 양성하는 것에서부터, 사회적 가치와 윤리에 대한 이해를 높이는 것에 이르기까지 다양합니다.

교육은 개인에게 필요한 지식과 기술을 제공하는 것 이상의 역할을 수행합니다. 교육은 우리의 사회적 책임감을 높이고, 사회적 공동체에 대한 이해를 강화합니다. 이는 우리가 지속 가능한 사회를 위해 필요한 실천을 실현하도록 돕습니다. 또한 교육은 우리가 지속적으로 배우고 성장하며, 변화와 도전에 적응할 수 있도록 돕습니다.

이러한 역할은 대한민국의 교육이 개인의 발전뿐만 아니라 사회 전체의 발전에 기여하는 방식을 보여줍니다. 교육은 개인의 기술적 능력과 지적 능력을 향상시키는 것뿐만 아니라, 사회적 능력과 윤리적 능력을 향상시키는 중요한 역할을 담당합니다. 이는 우리가 협력하고, 공동체를 형성하며, 공통의 목표를 위해 노력하는 데 필요한 능력을 강화하는 데 기여합니다.

따라서 대한민국의 교육은 개인의 성장뿐만 아니라 사회 전체의 성장과 발전에 큰 영향을 미치게 됩니다. 그 영향은 우리 사회가 지속 가능한 미래를 위해 필요한 인재를 양성하는 것에서부터, 사회적 가치와 책임감을 강화하는 것에 이르기까지 다양합니다. 이러한 이유로, 교육은 미래를 위한 중요한 투자이며, 이러한 투자는 우리 모두에게 이익을 가져다줄 것입니다.

대한민국의 교육은 대한민국의 미래에 큰 영향을 미칠 것입니다. 교육은 미래의 인재를 양성하고, 국가의 경쟁력을 높이는 데 필수적입니다. 대한민국이 미래에 번영하고 지속 가능한 국가가 되기 위해서는, 혁신적이고 창의적인 인재를 양성하는 데 중점을 둔 교육 시스템을 구축해야 합니다.

대한민국의 교육이 대한민국의 미래에 미칠 수 있는 영향은 다음과 같습니다.

경제 성장 촉진: 교육은 경제 성장의 핵심 요소입니다. 교육 수준이 높을수록 국가의 생산성, 혁신, 투자가 증가합니다. 예를 들어, OECD의 연구에 따르면 교육 수준이 1% 증가할 때 경제 성장률은 0.03% 증가합니다. 이는 교육을 받은 사람들이 더 생산적이고 혁신적이며 투자할 가능성이 더 높기 때문입니다.

국가 경쟁력 강화: 교육은 국가 경쟁력을 강화하는 데 도움이 됩니다. 교육 수준이 높을수록 국가는 글로벌 경제에서 경쟁력이 높아집니다. 세계경제포럼(WEF)의 글로벌 경쟁력 보고서에 따르면 교육은 국가의 경쟁력 순위를 결정하는 가장 중요한 요소입니다. 이는 교육을 받은 사람들이 더 높은 수준의 기술과 지식을 가지고 있으며, 글로벌 경제에서 성공하는 데 필요한 문제 해결 및 의사 결정 능력을 갖추고 있기 때문입니다.

사회 안정 증진: 교육은 사회 안정을 증진하는 데 도움이 됩니다. 교육 수준이 높을수록 범죄율, 빈곤율, 실업률이 감소합니다. 유엔의 연구에 따르면 교육 수준이 1% 증가할 때 범죄율은 0.02% 감소합니다. 이는 교육을 받은 사람들이 범죄를 저지를 가능성이 적고, 더 나은 직업을 얻고, 더 높은 소득을 얻을 가능성이 더 높기 때문입니다.

삶의 질 향상: 교육은 삶의 질을 향상시키는 데 도움이 됩니다. 교육 수준이 높을수록 사람들이 더 오래, 더 건강하게 살 수 있습니다. 세계보건기구(WHO)의 연구에 따르면 교육 수준이 1% 증가할 때 기대 수명은 0.01년 증가합니다. 이는 교육을 받은 사람들이 건강한 생활 방식을 선택할 가능성이 더 높고, 질병을 예방할 가능성이 더 높으며, 질병을 치료할 가능성이 더 높기 때문입니다.

이러한 예들은 교육이 대한민국의 미래에 미칠 수 있는 영향의 일부에 불과합니다. 교육은 대한민국이 미래에 번영하고 지속 가능한 국가가 되기 위한 핵심 요소입니다. 이러한 영향들을 고려할 때, 대한민국이 미래에 번영하고 지속 가능한 국가가 되기 위해서는, 혁신적이고 창의적인 인재를 양성하는 데 중점을 둔 교육 시스템을 구축해야 합니다. 이를 위해서는 다음과 같은 노력이 필요합니다.

교육에 대한 투자 확대: 대한민국은 교육에 대한 투자를 확대해야 합니다. OECD의 연구에 따르면 교육에 대한 투자는 GDP의 6% 이상이어야 합니다.

교육의 질 제고: 대한민국은 교육의 질을 제고해야 합니다. 이를 위해서는 교사의 자질 향상, 교육과정 개선, 교육 평가 시스템 강화 등이 필요합니다.

교육의 다양성 확대: 대한민국은 교육의 다양성을 확대해야 합니다. 이를 통해 학생들의 개별적 특성과 요구에 맞는 교육을 제공할 수 있습니다.

교육의 혁신: 대한민국은 교육의 혁신을 추진해야 합니다. 이를 통해 미래 사회에 필요한 혁신적이고 창의적인 인재를 양성할 수 있습니다.

대한민국의 교육이 대한민국의 미래에 미칠 수 있는 영향은 매우 큽니다. 교육에 대한 투자와 노력을 통해 대한민국이 미래에 번영하고 지속 가능한 국가가 되기를 기대합니다.

Q. 대한민국의 교육은 세계의 미래에 어떤 영향을 미칠까요?

대한민국의 교육은 세계의 미래에 강한 영향을 미칠 것으로 예상 되며, 그 근거는 교육이 가지는 잠재적 힘과 그 중요성을 통해 설명될 수 있습니다. 교육은 그 자체로 미래를 만들어가는 원동력이며, 인간의 지적 발달, 사회적 통합, 기술적 진보 등 여러 방면에서 교육의 역할이 분명하게 드러납니다.

첫째로, 대한민국의 교육은 그 성과를 통해 세계에 알려진, 글로벌 경쟁력 있는 인재를 계속해서 배출하고 있습니다. 특히 과학, 기술, 공학, 수학 (STEM) 분야에 대한 강조와 이에 따른 학생들의 뛰어난 성과는 대한민국이 이러한 분야에서 세계를 선도하는 인재를 만들어내는 데 결정적인 역할을 하고 있습니다. IT, 바이오, 인공지능, 로봇공학 등 4차 산업혁명의 핵심 분야에서 활약하는 세계적인 대한민국 기업들의 성장과 성공 역시 이러한 교육의 성과를 확연히 보여주고 있습니다.

둘째로, 대한민국의 교육은 우리가 현재 직면하고 있는 다양한 글로벌 이슈와 도전에 대응하는 데 필요한 역량을 학생들에게 갖추도록 돕습니다. 기후 변화, 환경 문제, 인권 침해, 사회적 불평등 등의 복잡한 문제에 대응하기 위해서는 국제적인 시각과 이해력, 그리고 이러한 문제를 해결하기 위한 협력적인 자세가 필수적입니다. 대한민국의 교육은 이러한 역량과 태도를 갖추도록 학생들을 교육하고 있으며, 이로 인해 대한민국의 교육은 세계의 미래에 중요한 영향을 미칠 것입니다.

셋째로, 대한민국의 교육은 세계적인 교육 트렌드 설정과 교육 혁신에도 중요한 역할을 합니다. 대한민국의 교육은 혁신적인 교육 방법론과 기술을 적극적으로 도입하고 활용함으로써 교육의 질을 끊임없이 향상시키고 있습니다. 대한민국의 이러한 교육 혁신은 세계의 다른 국가들에게도 중요한 영감을 제공하며, 그들이 자신들의 교육 시스템을 개선하고 혁신하는 데에도 중요한 참고 자료가 되고 있습니다.

마지막으로, 대한민국의 교육은 우리에게 세계 평화와 공동체에 대한 중요한 가치와 원칙을 깨우치게 합니다. 교육을 통해 우리는 다양한 문화와 가치를 이해하고, 다른 사람을 존중하며, 국제적인 협력과 공동체를 추구하는 태도를 배웁니다. 이러한 가치와 태도는 세계 평화와 공동체를 구축하고 유지하는 데 필수적이며, 따라서 대한민국의 교육은 이러한 면에서 세계의 미래에 중요한 영향을 미치게 됩니다.

결국, 대한민국의 교육은 미래의 세계에 광범위하고 다양한 영향을 미칠 것입니다. 우수한 인재의 배출, 세계적 도전에 대응하는 능력의 향상, 교육의 혁신, 그리고 세계 평화와 공동체를 추구하는 가치의 심화 등, 이 모든 방면에서 대한민국의 교육은 미래의 세계를 형성하는 데 중추적인 역할을 하게 될 것입니다. 이러한 모든 방면에서, 대한민국의 교육은 미래의 세계를 위한 중요한 준비와 기여를 도모하고 있음을 확인할 수 있습니다.

대한민국은 세계에서 빠르게 발전하는 경제 중 하나입니다. 이 경제적 성공은 부분적으로 대한민국의 교육 시스템에 기인합니다. 대한민국의 교육 시스템은 경쟁이 치열하고 학생들이 높은 수준의 학업 성취를 달성하도록 요구합니다. 이러한 높은 수준의 학업 성취는 대한민국이 세계의 기술 리더가 되는 데 도움이 되었습니다.

대한민국의 교육 시스템은 또한 세계의 미래에 큰 영향을 미칠 것입니다. 대한민국의 학생들은 컴퓨터 과학, 수학 및 과학과 같은 분야에서 세계 최고 중 하나입니다. 이러한 분야의 전문 지식은 대한민국이 첨단 기술 산업에서 세계적인 선두 주자이자 글로벌 경제의 핵심 플레이어가 되는 데 도움이 될 것입니다.

대한민국의 교육 시스템은 또한 세계의 미래에 긍정적인 영향을 미칠 수 있는 창의성과 혁신을 장려합니다. 대한민국의 학생들은 문제 해결 능력과 새로운 아이디어를 생각해내는 능력으로 유명합니다. 이러한 창의성과 혁신은 대한민국이 세계의 긍정적인 변화의 원동력이 되는 데 도움이 될 것입니다.

그러나 대한민국의 교육 시스템이 세계의 미래에 미치는 영향에 대해 우려하는 목소리도 있습니다. 어떤 사람들은 대한민국의 교육 시스템이 너무 경쟁적이고 학생들이 스트레스를 받고 있다고 주장합니다. 다른 사람들은 대한민국의 교육 시스템이 너무 획일적이며 학생들의 창의성을 억제한다고 주장합니다.

이러한 우려에도 불구하고 대한민국의 교육 시스템은 세계의 미래에 큰 영향을 미칠 것입니다. 대한민국의 학생들은 세계 최고 중 하나이며, 그들의 창의성과 혁신은 대한민국이 세계의 긍정적인 변화의 원동력이 되는 데 도움이 될 것입니다.

대한민국의 교육 시스템이 세계의 미래에 미칠 수 있는 영향은 다음과 같습니다.

대한민국은 세계의 기술 리더가 될 것입니다. 대한민국의 학생들은 컴퓨터 과학, 수학 및 과학과 같은 분야에서 세계 최고 중 하나입니다. 이러한 분야의 전문 지식은 대한민국이 첨단 기술 산업에서 세계적인 선두 주자이자 글로벌 경제의 핵심 플레이어가 되는 데 도움이 될 것입니다.

대한민국은 세계의 긍정적인 변화의 원동력이 될 것입니다. 대한민국의 학생들은 문제 해결 능력과 새로운 아이디어를 생각해내는 능력으로 유명합니다. 이러한 창의성과 혁신은 대한민국이 세계의 긍정적인 변화의 원동력이 되는 데 도움이 될 것입니다.

대한민국은 더 평등한 세계를 만드는 데 도움이 될 것입니다. 대한민국의 교육 시스템은 모든 학생에게 동등한 기회를 제공하도록 설계되었습니다. 이 시스템은 대한민국의 경제적 발전에 도움이 되었으며, 더 평등한 사회를 만드는 데에도 도움이 될 수 있습니다.

대한민국은 지속 가능한 세계를 만드는 데 도움이 될 것입니다. 대한민국의 교육 시스템은 학생들에게 환경과 지속 가능성에 대해 가르치도록 설계되었습니다. 이 시스템은 대한민국이 더 지속 가능한 국가가 되는 데 도움이 되었으며, 더 지속 가능한 세계를 만드는 데에도 도움이 될 수 있습니다.

결론적으로 대한민국의 교육 시스템은 세계의 미래에 큰 영향을 미칠 것입니다. 대한민국의 학생들은 세계 최고 중 하나이며, 그들의 창의성과 혁신은 대한민국이 세계의 긍정적인 변화의 원동력이 되는 데 도움이 될 것입니다.

Q. 대한민국의 기업은 교육에 어떤 역할을 하고 있습니까?

대한민국의 기업들은 교육에 매우 중요한 역할을 하고 있습니다. 기업들은 사회적 책임을 다하고 교육 분야에 적극적으로 참여하여 학부모와 학생들의 교육 경험을 향상시키는데 큰 역할을 하고 있습니다.

먼저, 기업들은 교육 기관과의 파트너십을 형성하여 교육 프로그램과 활동을 지원하고 있습니다. 많은 기업들이 학교와의 협력을 통해 STEM (과학, 기술, 공학, 수학) 분야의 교육을 강화하고 있습니다. 이를 위해 기업들은 교육자들에게 전문적인 교육을 제공하고, 교육 장비나 소프트웨어 등의 자원을 제공하여 학생들이 현실적이고 실용적인 기술을 배울 수 있도록 도움을 주고 있습니다. 또한, 기업들은 인재 양성을 위해 대학과의 협력을 강화하여 산학협력 프로그램을 운영하고 있습니다. 학생들에게 실무 경험을 제공하고 실무 능력을 향상시키는 기회를 제공함으로써 취업 시장에서 경쟁력 있는 인재로 성장할 수 있도록 도와주고 있습니다.

두 번째로, 기업들은 장학금과 교육 지원 프로그램을 통해 경제적으로 어려운 학생들에게 도움을 주고 있습니다. 많은 기업들이 장학재단을 설립하고, 교육비를 지원하며 우수한 학생들에게 장학금을 수여하고 있습니다. 또한, 기업들은 교육용 장비나 교재 등의 기부를 통해 학교 환경을 개선하고 교육의 질을 높이는데 기여하고 있습니다. 이를 통해 경제적으로 어려움을 겪는 학생들도 교육의 기회를 얻을 수 있으며, 교육 격차를 해소하는 데 일조하고 있습니다.

마지막으로, 기업들은 직업 교육과 진로 지원을 통해 학생들이 미래에 대한 비전을 가질 수 있도록 돕고 있습니다. 다양한 직업 분야가 있는 기업들은 학생들에게 직업 탐색의 기회를 제공하고, 다양한 직업 분야에 대한 정보를 제공하여 학생들이 자신의 관심과 장점에 맞는 진로를 선택할 수 있도록 돕고 있습니다. 이를 위해 기업들은 직업체험 프로그램, 직업 설명회, 채용설명회 등을 개최하여 학생들이 실제 직장 분위기를 체험하고 직업에 대한 이해를 높일 수 있도록 도와주고 있습니다. 또한, 기업들은 취업 준비 지원을 위한 커리어 교육 프로그램을 개발하고 운영하여 학생들이 취업에 필요한 기술과 역량을 습득할 수 있도록 도움을 주고 있습니다.

기업들의 교육에 대한 역할은 단순히 교육 자금의 지원에만 그치지 않습니다. 그들은 사회적 책임을 갖고 교육 분야에 적극적으로 참여하며 학부모와 학생들의 교육 경험을 개선하기 위해 다양한 노력을 기울이고 있습니다. 이러한 기업들의 노력은 교육의 질을 향상시키고 학생들의 미래를 밝게 만드는 데 큰 도움이 되고 있습니다. 따라서, 학부모들은 기업들의 교육 참여와 지원에 대해 관심을 가지고 적극적으로 협력할 수 있도록 노력해야 합니다.

대한민국의 기업은 교육에 다양한 방식으로 참여하고 있습니다. 일부 기업은 직접 학교를 운영하거나 자금을 지원하고 있습니다. 다른 기업은 직원과 지역 사회 구성원을 위한 교육 프로그램을 제공하고 있습니다. 기업은 또한 정부와 협력하여 교육 정책을 개발하고 시행하고 있습니다.

기업이 교육에 참여하는 데에는 여러 가지 이유가 있습니다. 어떤 기업은 미래의 인재를 육성하기 위해 교육에 투자합니다. 다른 기업은 직원의 기술과 능력을 향상시켜 생산성을 높이기 위해 교육에 투자합니다. 기업은 또한 기업의 이미지를 개선하고 지역 사회와의 관계를 강화하기 위해 교육에 투자합니다.

기업이 교육에 참여하는 방식에는 여러 가지가 있습니다. 일부 기업은 직접 학교를 운영합니다. 예를 들어, 삼성은 1987년부터 삼성

전자공과대학교를 운영하고 있습니다. LG는 1997년부터 LG경영전문대학원을 운영하고 있습니다. SK는 2004년부터 SK하이닉스반도체공과대학교를 운영하고 있습니다.

다른 기업은 자금을 지원하여 학교를 운영합니다. 예를 들어, 현대자동차는 2007년부터 현대자동차그룹미래자동차교육재단을 운영하고 있습니다. 이 재단은 미래자동차 분야의 인재를 육성하기 위해 국내외 대학에 장학금과 연구비를 지원하고 있습니다.

기업은 또한 직원과 지역 사회 구성원을 위한 교육 프로그램을 제공합니다. 예를 들어, 삼성은 1994년부터 삼성드림클래스를 운영하고 있습니다. 이 프로그램은 경제적으로 어려운 학생들에게 무료 교육을 제공합니다. LG는 2003년부터 LG러닝센터를 운영하고 있습니다. 이 센터는 직원과 지역 사회 구성원을 위한 다양한 교육 프로그램을 제공합니다.

기업은 또한 정부와 협력하여 교육 정책을 개발하고 시행하고 있습니다. 예를 들어, 삼성은 2009년부터 '삼성-교육부 미래인재양성협력'을 운영하고 있습니다. 이 협력은 고등학교 졸업 후 진로를 고민하는 학생들에게 진로 탐색 및 교육 서비스를 제공합니다. LG는 2011년부터 'LG-교육부 미래인재육성협력'을 운영하고 있습니다. 이 협력은 초등학교 및 중학교 학생들에게 STEAM 교육 서비스를 제공합니다.

기업이 교육에 참여하는 것은 대한민국 교육의 발전에 큰 도움이 되고 있습니다. 기업은 미래의 인재를 육성하고, 직원의 기술과 능력을 향상시키고, 기업의 이미지를 개선하고, 지역 사회와의 관계를 강화하는 데 도움이 되고 있습니다. 기업의 교육 참여는 대한민국 교육의 발전을 위한 중요한 파트너입니다.

Q. 대한민국의 시민들은 교육에 어떤 관심을 가지고 있습니까?

대한민국의 시민들은 교육에 매우 높은 관심을 가지고 있습니다. 교육은 대한민국 사회에서 가장 중요한 가치 중 하나로 여겨지며, 학부모, 학생, 교사, 교육 전문가, 정부 등 모든 이들이 교육에 대한 관심을 가지고 노력하고 있습니다.

첫째, 학부모들은 자녀의 교육에 많은 관심을 가지고 있습니다. 학부모들은 자녀의 학교 선택, 교육 방법, 학업 성취 등에 대해 적극적으로 관여하며 최선의 교육 환경을 제공하기 위해 노력합니다. 학부모들은 자녀의 교육에 투자하는 비용과 시간을 아끼지 않으며, 학교와의 소통을 통해 자녀의 학업과 성장을 지속적으로 관찰하고 지원합니다. 또한, 학부모들은 학교 교육 프로그램과 학교운영에 대한 의견을 제시하고 개선을 위해 노력하는 등 교육에 대한 관심과 참여를 보입니다.

둘째, 학생들은 자기 자신의 미래를 위해 교육에 큰 관심을 가지고 있습니다. 대한민국의 학생들은 경쟁 사회에서 성공하기 위해 교육을 필수적인 도구로 인식하고 노력합니다. 학생들은 좋은 대학 진학을 위해 공부에 전념하며, 자기계발을 위해 다양한 교육 프로그램이나 학습 도구를 활용합니다. 또한, 학생들은 진로 선택에 관심을 가지고 다양한 직업에 대한 정보를 수집하고 탐색합니다. 자기 관리 능력을 키우고, 자신의 장점을 개발하며, 학업적 성취를 통해 자신의 미래를 더욱 밝게 만들기 위해 노력합니다.

셋째, 교사와 교육 전문가들은 학생들의 발전과 교육의 질을 향상시키기 위해 끊임없이 노력하고 연구합니다. 교사들은 교육 방법과 교육 내용을 개선하기 위해 지속적인 전문교육을 받으며, 학생들의 특성과 필요에 맞는 맞춤형 교육을 제공하기 위해 노력합니다. 또한, 교육 전문가들은 교육 정책 연구와 교육 현장에서의 문제 해결을 위해 노력하며, 교육 관련 연구 결과를 제공하여 정부와 교육기관의 의사결정에 기여합니다.

마지막으로, 대한민국의 정부와 사회 전체도 교육에 대한 큰 관심을 가지고 있습니다. 정부는 교육 예산을 증액하고 교육 정책을 개발하여 교육의 질을 향상시키는데 주력하고 있습니다. 또한, 사회 전체적으로 교육의 중요성을 인식하고 교육에 대한 관심과 참여를 보이는데 이는 학교 자원뿐만 아니라 시민들의 자발적인 참여와 후원을 통해 나타납니다. 대한민국 사회는 교육을 통해 더욱 발전하고 지속적인 경쟁력을 확보하기 위해 교육에 대한 노력과 관심을 지속적으로 보여주고 있습니다.

대한민국 시민들의 교육에 대한 높은 관심과 참여는 국가의 교육 발전에 큰 힘이 되고 있습니다. 이러한 관심과 노력이 지속됨으로써 대한민국의 교육체계는 더욱 발전하고, 학생들은 자신의 잠재력을 최대한 발휘할 수 있는 기회와 환경을 찾을 수 있을 것입니다. 따라서, 교육에 대한 관심과 참여는 계속해서 확대되어야 하며, 모든 이들이 함께 노력하여 대한민국의 교육을 발전시키는데 기여해야 합니다.

대한민국의 시민들은 교육에 대한 관심이 높습니다. 그들은 교육이 자녀의 미래에 중요하다고 믿으며 자녀가 좋은 교육을 받을 수 있

도록 최선을 다하고 있습니다.

대한민국 국민들은 교육을 통해 자녀가 사회에서 성공할 수 있다고 믿습니다. 그들은 교육이 자녀에게 좋은 직업과 높은 소득을 얻을 수 있는 기회를 제공할 것이라고 믿습니다. 또한 교육이 자녀가 지적인 사람으로 성장하고 세상을 이해하는 데 도움이 될 것이라고 믿습니다.

대한민국 국민들은 교육에 많은 시간과 돈을 투자합니다. 그들은 자녀를 좋은 학교에 보내고 자녀에게 사교육을 시키고 있습니다. 또한 자녀의 교육을 위해 자원봉사를 하고 학교 발전을 위해 기부하고 있습니다.

대한민국 국민들의 교육에 대한 관심은 대한민국 교육의 발전에 기여하고 있습니다. 대한민국은 높은 수준의 교육을 제공하는 국가 중 하나이며, 이는 대한민국 경제 성장과 국가 발전에 기여하고 있습니다.

그러나 대한민국의 교육에 대한 관심에는 몇 가지 문제가 있습니다. 한 가지 문제는 대한민국 교육이 경쟁이 치열하다는 것입니다. 대한민국 학생들은 좋은 대학에 입학하기 위해 열심히 공부해야 하며, 이는 스트레스와 불안으로 이어질 수 있습니다. 또 다른 문제는 대한민국 교육이 비싸다는 것입니다. 좋은 학교에 다니고 사교육을 받으려면 많은 돈이 필요합니다. 이는 교육 기회에 대한 불평등으로 이어질 수 있습니다.

전반적으로 대한민국 국민들은 교육에 대한 관심이 높습니다. 그들은 교육이 자녀의 미래에 중요하다고 믿으며 자녀가 좋은 교육을 받을 수 있도록 최선을 다하고 있습니다. 그러나 대한민국 교육에 대한 관심에는 몇 가지 문제가 있습니다. 이러한 문제는 해결되어야 하며, 대한민국 교육은 계속해서 발전할 수 있습니다.

Q. 대한민국의 교육은 다른 나라의 교육과 어떻게 다른가요?

대한민국의 교육 시스템은 특정한 문화적, 사회적 맥락에서 이해되어져야 합니다. 이를 이해하는데 필요한 몇 가지 주요 특징을 소개하겠습니다.

경쟁과 성과 지향: 대한민국의 교육은 학업 성과와 경쟁에 중점을

둡니다. 학생들은 초등학교에서 고등학교까지, 그리고 대학 진학까지 국가에서 표준화된 시험을 통해 평가받습니다. 이 시험 성적은 대학 입학, 장학금, 그리고 직업 시장에서의 기회에 큰 영향을 미칩니다. 이런 환경에서 학생들은 자신의 능력을 최대한 향상시키고 성적을 높이는 것에 집중하게 됩니다.

사교육의 역할: 대한민국에서는 사교육이 중요한 역할을 합니다. 많은 학생들이 학교 수업 이후에 학원이나 개인 과외를 통해 추가적인 학습을 합니다. 이러한 사교육은 학생들의 학업 성적을 향상시키는데 중요한 역할을 하지만, 동시에 학생들 사이의 교육적 격차를 증가시키는 요인이기도 합니다.

부모의 역할: 대한민국의 부모들은 자녀의 교육에 대해 매우 관심이 높습니다. 부모들은 자녀가 좋은 대학에 입학하고, 높은 사회적 지위를 얻을 수 있도록 사교육비를 지출하며, 자녀의 학업 성과를 철저하게 모니터링합니다.

이러한 특징들은 대한민국의 교육 시스템이 다른 국가의 시스템과 어떻게 다른지를 이해하는데 중요한 열쇠입니다. 그러나 이러한 특징들은 대한민국 사회의 특정한 역사적, 사회적 맥락에서 비롯된 것입니다. 대한민국은 20세기 후반부터 빠른 경제 성장을 이루면서 교육을 사회 이동의 수단으로 보는 관점이 강화되었습니다. 이 때문에 교육에 대한 경쟁이 심화되었고, 학생들과 부모들 사이에 과도한 압박이 가해지게 되었습니다. 이러한 상황은 또한 사교육 시장의 급격한 성장을 촉발하였고, 이로 인해 학생들 사이의 교육적 격차가 심화되는 결과를 초래하였습니다.

이와 같은 대한민국의 교육 환경은 다른 나라와 비교할 때 특별한 점을 가지고 있습니다. 예를 들어, 핀란드의 경우, 모든 학생에게 동일하고 고품질의 교육 기회를 제공하는 것에 중점을 두는 교육 체제를 가지고 있습니다. 핀란드의 교육은 학생 개개인의 다양성을 존중하며, 학생들에게 필요한 지원을 제공함으로써 그들이 최선을 다할 수 있도록 합니다. 또한, 선생님들은 교육 커뮤니티에서 높은 존중을 받으며, 선생님들의 전문성을 높이는데 많은 투자를 합니다.

한편, 미국의 교육 시스템은 광범위한 다양성을 가지고 있습니다. 공립학교, 사립학교, 홈스쿨링, 온라인 학교 등 다양한 교육 방식이 공존하며, 각 학생과 가족의 특별한 필요와 목표에 맞는 선택을 할 수 있습니다. 또한, 미국의 대학은 세계적으로 인정받는 수준의 연구와 교육을 제공하며, 다양한 배경과 경험을 가진 학생들을 모집합니다.

이러한 비교를 통해 볼 때, 대한민국의 교육 시스템은 성과 중심적이고 경쟁적인 특성, 사교육의 중요성, 그리고 부모의 강한 참여와 같은 특징을 가지고 있습니다. 이는 대한민국 사회의 특정한 역사적, 사회적 맥락에서 이해되어져야 하며, 이러한 맥락이 대한민국의 교육 정책과 실제를 형성하는데 중요한 역할을 합니다. 그러나 대한민국의 교육 시스템 역시 지속적인 변화와 개선의 과정에 있습니다. 대학 입학 시스템의 개편, 사교육의 규제 강화, 학교에서의 다양성 인정과 같은 여러 방향으로의 노력들이 진행되고 있습니다. 이런 변화들은 대한민국의 교육 시스템이 더욱 포괄적이고 공정하며, 학생 개개인의 잠재력을 최대한 발휘할 수 있는 환경을 조성하는데 기여하고 있습니다.

또한, 대한민국의 교육 시스템은 다른 국가의 시스템과 비교하여 고유한 장점들도 가지고 있습니다. 이러한 장점 중 하나는 학부모와 학생들의 교육에 대한 강력한 애착입니다. 이는 학생들이 높은 학업 성취를 이루는 데 기여하며, 대한민국이 교육 지표에서 높은 성적을 얻는 데 중요한 역할을 합니다. 또한, 대한민국의 교육 시스템은 학생들에게 강한 학습 동기를 부여하고, 진지하게 공부에 임하도록 장려합니다.

그러나 다른 국가들과의 비교를 통해, 대한민국의 교육 시스템이 직면한 몇 가지 도전들도 명확해집니다. 이 중 하나는 교육의 과도한 경쟁성으로 인한 학생들의 스트레스 수준입니다. 이러한 문제를 해결하기 위해, 대한민국의 교육 시스템은 학업 성적 외의 다른 요소들, 예를 들면 창의성, 협동심, 비판적 사고 등을 더욱 인정하고 강조하는 방향으로 발전해야 할 필요가 있습니다.

다른 도전은 사교육에 의한 교육 격차입니다. 사교육이 교육의 품질과 접근성을 높이는 한편, 부의 격차를 교육 격차로 번역하는 경향이 있습니다. 이에 대한 대응으로, 공교육의 품질을 향상시키고, 모든 학생들에게 동일한 교육 기회를 제공하는 방향의 노력이 필요합니다.

이처럼 대한민국의 교육 시스템은 다른 나라의 교육과 비교하여 독특한 특성과 도전 과제를 가지고 있습니다. 성과 지향적인 교육 환경, 사교육의 강세, 그리고 학부모의 강한 참여는 대한민국의 교육의 복잡한 특성을 반영하며, 이는 동시에 성장 가능성과 함께 여러 가지 도전과제를 안고 있습니다.

이를 해결하기 위한 다양한 노력들이 이미 진행 중이며, 그 중 몇몇은 교육 정책 개혁, 교육의 다양성과 포괄성 증진, 사교육의 규제 강화 등을 포함하고 있습니다. 이러한 노력들은 물론이고 개개인의 학생, 교사, 부모, 그리고 사회 전체의 적극적인 참여와 협력 없이는 완전히 해결될 수 없는 문제들입니다.

이상의 내용들은 대한민국의 교육이 다른 국가의 교육과 어떻게 다른지에 대한 주요 요점들을 다루고 있습니다. 그러나 모든 국가의 교육 시스템은 그 나라의 역사적, 사회적, 경제적 맥락에 깊이 뿌리를 두고 있으며, 이러한 맥락 없이는 완전히 이해할 수 없습니다. 이에 대한 깊이 있는 이해를 위해서는 더욱 방대하고 세밀한 연구와 학습이 필요합니다.

대한민국의 교육은 다른 나라의 교육과 몇 가지 면에서 다릅니다. 가장 큰 차이점 중 하나는 대한민국의 교육이 매우 경쟁적이라는

것입니다. 대한민국의 학생들은 성적에 대한 압력이 매우 높으며, 많은 학생들이 공부에 너무 많은 시간을 보내고 있습니다. 이로 인해 스트레스와 정신 건강 문제로 어려움을 겪는 학생들도 많이 있습니다.

대한민국의 교육은 또한 매우 주입식입니다. 학생들은 수업에서 많은 양의 정보를 배우도록 요구받으며, 자신의 생각을 표현하거나 창의력을 발휘할 수 있는 기회가 많지 않습니다. 이로 인해 학생들이 배우는 것을 싫어하게 되고, 학교에 대한 부정적인 태도를 갖게 되는 경우가 많습니다.

반면에 대한민국의 교육은 다른 나라의 교육에 비해 몇 가지 장점도 있습니다. 대한민국의 학생들은 국제 시험에서 높은 점수를 받으며, 고등학교 졸업률도 높습니다. 이는 대한민국의 교육 시스템이 효과적임을 시사합니다. 또한 대한민국의 교육은 매우 실용적입니다. 학생들은 학교에서 실용적인 기술을 배우도록 요구받으며, 이로 인해 직장에서 성공할 가능성이 높아집니다.

궁극적으로 대한민국의 교육이 다른 나라의 교육보다 낫다고 말하기는 어렵습니다. 장단점이 모두 있습니다. 대한민국의 교육 시스템은 학생들이 직장에서 성공할 수 있도록 준비시키는 데 중점을 두어야 하며, 학생들이 행복하고 만족스러운 삶을 살 수 있도록 준비시키는 데에도 중점을 두어야 합니다.

다음은 대한민국의 교육과 다른 나라의 교육의 몇 가지 차이점입니다.

교육의 목표: 대한민국의 교육은 학생들이 좋은 대학에 진학하고 좋은 직업을 얻을 수 있도록 준비시키는 데 중점을 둡니다. 다른 나라의 교육은 학생들이 행복하고 만족스러운 삶을 살 수 있도록 준비시키는 데 중점을 둡니다.

교육의 과정: 대한민국의 교육은 매우 주입식입니다. 학생들은 수업에서 많은 양의 정보를 배우도록 요구받으며, 자신의 생각을 표현하거나 창의력을 발휘할 수 있는 기회가 많지 않습니다. 다른 나라의 교육은 더 개방적이고 탐구적입니다. 학생들은 자신의 생각을 표현하고 창의력을 발휘할 수 있는 기회가 더 많습니다.

교육의 문화: 대한민국의 교육 문화는 매우 경쟁적입니다. 학생들은 성적에 대한 압력이 매우 높으며, 많은 학생들이 공부에 너무 많은 시간을 보내고 있습니다. 다른 나라의 교육 문화는 덜 경쟁적입니다. 학생들은 성적에 대한 압력이 덜하며, 더 여유로운 시간을 가질 수 있습니다.

교육의 결과: 대한민국의 학생들은 국제 시험에서 높은 점수를 받으며, 고등학교 졸업률도 높습니다. 다른 나라의 학생들은 국제 시험에서 그다지 높은 점수를 받지 못하며, 고등학교 졸업률도 낮습니다.

이러한 차이점은 대한민국의 교육과 다른 나라의 교육의 결과에 영향을 미칩니다. 대한민국의 학생들은 직장에서 성공할 가능성이 더 높으며, 다른 나라의 학생들은 직장에서 성공할 가능성이 적습니다. 대한민국의 학생들은 행복하고 만족스러운 삶을 살 가능성이 더 높으며, 다른 나라의 학생들은 행복하고 만족스러운 삶을 살 가능성이 적습니다.

대한민국과 다른 나라의 교육의 이러한 차이점은 여러 가지 요인에 기인합니다. 한 가지 요인은 대한민국의 교육 시스템이 경쟁적으로 설계되었다는 것입니다. 이것은 학생들이 좋은 대학에 진학하기 위해 열심히 공부해야 함을 의미합니다. 또 다른 요인은 대한민국의 부모들이 자녀의 교육에 매우 관심이 많다는 것입니다. 그들은 자녀가 좋은 대학에 진학하기를 바라며, 자녀를 지원하기 위해 열심히 일합니다.

대한민국과 다른 나라의 교육의 이러한 차이점은 여러 가지 결과를 초래합니다. 한 가지 결과는 대한민국의 학생들이 다른 나라의 학생들보다 학업 성취도가 높다는 것입니다. 대한민국의 학생들은 수학, 과학, 읽기에서 높은 점수를 받습니다. 또 다른 결과는 대한민국의 학생들이 다른 나라의 학생들보다 스트레스를 더 많이 받는다는 것입니다. 그들은 좋은 대학에 진학하기 위해 열심히 공부해야 하며, 경쟁은 치열합니다.

대한민국과 다른 나라의 교육의 이러한 차이점은 몇 가지 도전을 야기합니다. 한 가지 도전은 대한민국의 학생들이 스트레스를 너무 많이 받는다는 것입니다. 그들은 좋은 대학에 진학하기 위해 열심히 공부해야 하며, 경쟁은 치열합니다. 또 다른 도전은 대한민국의 부모들이 자녀의 교육에 너무 관심이 많다는 것입니다. 그들은 자녀가 좋은 대학에 진학하기를 바라며, 자녀를 지원하기 위해 열심히 일합니다.

대한민국과 다른 나라의 교육의 이러한 차이점은 몇 가지 기회도 제공합니다. 한 가지 기회는 대한민국의 학생들이 다른 나라의 학생들보다 학업 성취도가 높다는 것입니다. 대한민국의 학생들은 수학, 과학, 읽기에서 높은 점수를 받습니다. 또 다른 기회는 대한민국의 학생들이 다른 나라의 학생들보다 스트레스를 더 많이 받는다는 것입니다. 그들은 좋은 대학에 진학하기 위해 열심히 공부해야 하며, 경쟁은 치열합니다.

전반적으로 대한민국과 다른 나라의 교육은 매우 다릅니다. 대한민국의 교육은 경쟁이 치열하고 스트레스가 많으며, 다른 나라의 교육은 더 느긋하고 여유로운 경향이 있습니다. 대한민국의 교육은 또한 학업 성취에 중점을 두는 반면, 다른 나라의 교육은 전체적인 발달에 중점을 둡니다.

Q. 대한민국의 교육이 사회에 미치는 영향

한국의 교육은 한국 사회에 큰 영향을 미쳤으며, 그 영향은 긍정적일 수도 있고 부정적일 수도 있다. 한국의 교육은 한국의 경제 발전에 크게 기여했지만, 한국 사회의 양극화와 스트레스 수준을 높이는 데에도 기여했다.

한국의 교육은 한국의 경제 발전에 크게 기여했다. 한국은 1960년대에는 빈곤 국가였지만, 오늘날은 세계 10위 경제 대국으로 성장했다. 이 경제 발전은 한국의 교육 시스템 덕분에 가능했다. 한국의 교육 시스템은 학생들에게 높은 수준의 학업 성취를 요구하며, 이는 한국 기업들이 글로벌 경쟁에서 경쟁할 수 있는 숙련된 노동력을 갖추는 데 도움이 되었다.

그러나 한국의 교육은 한국 사회의 양극화와 스트레스 수준을 높이는 데에도 기여했다. 한국의 교육은 경쟁적이고 스트레스가 많은 환경이며, 이는 학생들과 학부모에게 많은 부담을 줄 수 있다. 이 경쟁은 학생들이 우수한 대학에 입학하고 좋은 직업을 얻기 위해 많은 시간과 노력을 투자하도록 압력을 가하고 있다. 이러한 경쟁은 스트레스와 불안 수준을 높이고 학생들의 정신 건강에 부정적인 영향을 미칠 수 있다.

1.   사회 경제 발전에 기여하는 역할

교육은 인적 자원의 향상을 통해 경제 발전에 기여한다. 우리 사회는 지식 기반 경제 시대에 진입하였으며, 높은 수준의 교육은 창의적인 인재를 배출해 경제 성장을 촉진한다. 예를 들어, 과학기술 분야에서의 우수한 교육은 혁신과 기술 발전을 견인하며 산업 경쟁력을 향상시킨다.

2.   사회적 평등과 인종 갈등 해소

교육은 사회적 평등을 실현하고 인종 갈등을 해소하는데 중요한 역할을 한다. 교육의 질적 향상은 개인의 능력과 잠재력을 개발하며, 경제적, 사회적 계층의 편견과 차별을 줄이는 역할을 한다. 예를 들어, 교육을 통해 경제적으로 취약한 지역이나 소수민족에 속한 학생들이 균등한 교육 기회를 제공받을 수 있게 된다.

3.   문화 발전과 사회 통합

교육은 문화적 가치를 전달하고 사회적 통합을 이루는 데 기여한다. 국민의 공통된 가치와 역사를 교육을 통해 전승함으로써 국민의 정체성과 문화적인 유대감을 강화할 수 있다. 또한, 다양한 문화와 가치관을 존중하면서 상호 이해와 협력을 기반으로 사회적인 다양성을 존중하고 통합하는 사회를 구축하는데 기여한다.

4.   시민교육과 민주시민의 형성

교육은 시민교육을 통해 민주 시민의식과 참여 의식을 함양하는 역할을 한다. 시민교육은 민주주의 사회에서 시민의 권리와 의무를 이해하고 책임감을 갖게 하여, 민주적 가치와 공동체 의식을 배양한다. 이는 사회적인 불평등 문제의 해결, 사회적으로 책임 있는 시민의 형성에 기여한다.

1.   경제 발전에 기여

한국의 교육 시스템은 학생들에게 높은 수준의 학업 성취를 요구하며, 이는 한국 기업들이 글로벌 경쟁에서 경쟁할 수 있는 숙련된 노동력을 갖추는 데 도움이 되었다. 한국의 교육 시스템은 또한 한국의 경제 발전에 기여한 혁신과 창의성의 촉진에 도움이 되었다.

2.   사회 이동성 촉진

한국의 교육 시스템은 학생들에게 출신에 관계없이 성공할 수 있는 기회를 제공하며, 이는 사회 이동성을 촉진하는 데 도움이 되었다. 한국의 교육 시스템은 또한 학생들에게 다양한 배경과 문화에 대해 가르쳐 사회적 소통과 포용성을 촉진하는 데 도움이 되었다.

3.   시민 의식 강화

한국의 교육 시스템은 학생들에게 민주주의와 시민 의식에 대해 가르쳐 민주 시민의 양성에 도움이 되었다. 한국의 교육 시스템은 또한 학생들에게 역사와 문화에 대해 가르쳐 국가 정체성과 자부심을 키우는 데 도움이 되었다.

그러나 한국의 교육 시스템은 다음과 같은 몇 가지 부정적인 영향도 미쳤다.

1.   경쟁과 스트레스 수준 증가

한국의 교육은 경쟁적이고 스트레스가 많은 환경이며, 이는 학생들과 학부모에게 많은 부담을 줄 수 있다. 이 경쟁은 학생들이 우수한 대학에 입학하고 좋은 직업을 얻기 위해 많은 시간과 노력을 투자하도록 압력을 가하고 있다. 이러한 경쟁은 스트레스와 불안 수준을 높이고 학생들의 정신 건강에 부정적인 영향을 미칠 수 있다.

2.   양극화 증가

한국의 교육은 학생들을 우수한 대학에 진학하는 학생들과 그렇지 않은 학생들로 양극화시키고 있다. 이 양극화는 학생들의 사회적 이동성을 제한하고 한국 사회의 분열을 가속화하는 데 도움이 되었다.

3.   창의성과 혁신 감소

한국의 교육은 학생들이 시험을 잘 치르는 데 집중하도록 압력을 가하고 있으며, 이는 창의성과 혁신을 감소시키는 데 도움이 되었다. 한국의 교육 시스템은 또한 학생들이 새로운 것을 배우고 위험을 감수하는 것을 두려워하는 보수적인 태도를 조장하는 데 도움이 되었다.

전반적으로 한국의 교육 시스템은 한국 사회에 긍정적이고 부정적인 영향을 모두 미쳤다. 한국의 교육 시스템은 더 균형 잡히고 학생들의 정신 건강을 우선시하는 방식으로 개혁되어야 한다.

Q. 대한민국의 교육이 대한민국의 국가 경쟁력에 미치는 영향

한국의 교육은 세계에서 가장 경쟁력 있는 교육 중 하나이다. 한국 학생들은 높은 학업 성취도를 보이며 국제 시험에서 지속적으로 상위권을 차지한다. 한국의 교육은 한국 경제 발전의 주요 동력이었으며 한국이 세계적인 경제 강국으로 성장하는 데 도움이 되었다.

1.　　　인재 양성과 인력 수급 보장

교육은 우수한 인재를 양성하는 과정을 통해 국가 경쟁력을 강화한다. 우리가 경제적, 과학기술적으로 발전하기 위해서는 첨단 기술에 대한 전문 인력과 창의적인 아이디어를 가진 인재가 필요하다. 교육은 학생들에게 체계적인 지식과 기술을 전달하고, 창의적인 사고와 문제 해결능력을 함양함으로써 이러한 인재를 양성하는 역할을 한다.

2.   고등교육과 연구 개발의 진흥

교육은 고등교육과 연구 개발 분야의 진흥에도 큰 영향을 미친다. 우수한 대학교 및 연구기관을 갖춘 국가는 혁신적인 기술과 지식을 개발하고 이를 경제적 가치로 전환할 수 있다. 대한민국의 교육이 고등교육 기관과 연구 개발 분야에 충분한 지원을 제공함으로써 첨단 기술과 지식의 발전을 촉진하고, 이를 통해 국가 경쟁력을 강화할 수 있다.

3.   글로벌 인재 유치와 국제 교류 증진

국가 경쟁력은 국제적인 차원에서도 평가된다. 국가 간의 경제, 문화, 기술적인 교류가 활발하게 이루어지는 시대에서, 우수한 교육 시스템을 갖춘 국가는 글로벌 인재를 유치하고 국제적인 교류를 증진시킬 수 있다. 예를 들어, 대한민국의 대학교가 세계적인 명문 대학으로 인정받게 되면, 우수한 외국 학생들이 대한민국으로 유학을 오며 국제적인 교류가 활성화될 것이다. 이는 국가의 국제적인 영향력과 경제적인 기회를 확장시키는 데 도움을 줄 수 있다.

4.   사회적인 문제 해결과 평등 증진

교육은 사회적인 문제의 해결과 평등 증진에도 영향을 미친다. 교육을 통해 국민들은 사회 문제에 대한 인식과 이해를 높일 수 있으며, 더 나은 사회를 위한 참여와 협력을 독려할 수 있다. 또한, 교육의 질을 높여 국민들이 공평한 교육 기회를 받을 수 있게 되면 사회적인 격차를 줄일 수 있다. 이는 사회 안정과 개인의 창의성과 잠재력을 발휘할 수 있는 기회를 제공함으로써 국가 경쟁력을 향상시킨다.

한국의 교육은 한국 경제 발전에 큰 도움이 되었다. 한국은 1960년대에는 빈곤 국가였지만, 오늘날은 세계 10위 경제 대국으로 성장했다. 이 경제 발전은 한국의 교육 시스템 덕분에 가능했다. 한국의 교육 시스템은 학생들에게 높은 수준의 학업 성취를 요구하며, 이는 한국 기업들이 글로벌 경쟁에서 경쟁할 수 있는 숙련된 노동력을 갖추는 데 도움이 되었다.

예를 들어, 한국의 전자 산업은 세계적인 리더이며, 이는 한국의 교육 시스템이 전자 엔지니어를 양성한 덕분이다. 한국의 자동차 산업도 세계적인 리더이며, 이는 한국의 교육 시스템이 자동차 엔지니어를 양성한 덕분이다.

한국의 교육 시스템은 세계에서 가장 경쟁력 있는 교육 중 하나이며, 이는 한국이 세계적인 경제 강국으로 성장하는 데 도움이 되었다. 그러나 한국의 교육 시스템은 지금보다 더 균형 잡히고, 창의적이고 혁신적이며 포괄적이어야 한다.

1.   강력한 입시 경쟁

한국 학생들은 대학 입학을 위해 매우 열심히 공부한다. 이 경쟁은 학생들이 열심히 일하고 최선을 다하도록 동기를 부여하며, 대한민국의 국가 경쟁력 향상에 큰 영향을 미친다.

2.   엄격한 학업 일정

한국 학생들은 하루에 몇 시간씩 공부한다. 이 엄격한 학업 일정은 학생들이 높은 학업 성취도를 달성하는 데 도움이 된다.

3.   창의성과 혁신 감소

한국 학생들은 공부에 집중하는 능력이 뛰어나다. 이 집중력은 학생들이 어려운 과제를 완수하는 데 도움이 된다.

4.   부모의 참여

한국 부모는 자녀의 교육에 매우 적극적으로 참여한다. 그들은 자녀가 공부하도록 격려하고 자녀가 필요한 도움을 받도록 한다. 이 과정 속에서 자녀는 국가 경쟁력 향상에 필요한 기술을 습득한다.

Q. 대한민국 교육은 어떤 방향으로 나아가고 있습니까?

교육의 목표와 방향성은 국가와 사회, 그리고 시대에 따라 변화합니다. 현재 대한민국이 나아가고 있는 교육 방향의 모습에 대하여 알려드리도록 하겠습니다.

1. 부모의 과도한 서포트 문제: 부모의 과도한 서포트는 아이들이 스스로 문제를 해결하는 능력을 기르는 것을 방해할 수 있습니다. 이를 해결하기 위해 학교에서는 개인의 독립성과 창의성을 중요시하는 교육방식을 적극적으로 도입하고 있습니다. 예를 들어, 학습자 중심의 교육, 창의적 사고력을 키우는 프로젝트 기반 학습 등이 그 예시입니다.

2. AI와 교육: AI의 발전으로 많은 일들이 자동화되고 있지만, 교육의 중요성은 여전히 큽니다. AI는 '배울 수 있는' 것을 제공할 수 있지만, 그것을 '어떻게 배울 것인가'는 인간이 결정해야 합니다. AI는 우리가 어떤 지식을 습득하고, 어떻게 생각하며, 어떻게 행동하는지에 대한 교육을 제공할 수 없습니다. 또한, AI에는 인간의 감정, 상황 판단 능력, 창의성 등을 대체할 수 없는 부분들이 있습니다.

3. 창의적인 직업에 대한 관심: 만화나 웹툰 같은 창의적인 직업에 대한 학생들의 관심은 교육이 그들의 관심과 열정을 지원하고 발전시킬 수 있도록 새로운 교육 프로그램을 개발해야 함을 보여줍니다.

4. 대학의 위기: 인구 감소와 학생 수의 감소로 인한 대학의 위기는 그들이 제공하는 교육의 가치에 대해 재고해야 함을 나타냅니다. 이는 교육 프로그램의 혁신과 산업 현장과의 긴밀한 협력을 통해 극복될 수 있습니다.

5. 삶의 질 향상: 교육의 최종 목표는 개인의 삶의 질 향상입니다. 이를 위해 행복 교육, 감성 교육, 생활 속의 학습 등이 주목받고

있습니다. 이는 학생들이 자신만의 꿈을 향해 성장하도록 돕는데, 부모의 서포트보다는 자신의 능력과 흥미에 따라 방향을 설정하는 것을 강조합니다.

6. 미래 지향적 교육: 4차 산업혁명 시대에 맞춰 교육 과정은 미래 지향적으로 변화하고 있습니다. 코딩 교육, AI 교육, 데이터 사이언스 교육 등이 주요 교육 과정에 포함되고 있습니다. 또한, 창의적인 직업을 향한 학생들의 관심은 교육 과정이 그들의 필요성에 맞게 유연하게 변화해야 함을 보여줍니다.

7. 평생학습: 평생학습의 중요성이 강조되고 있습니다. 교육은 학교에서만 받는 것이 아니라, 일상 생활에서도 계속되어야 합니다. 이를 위해 온라인 학습 플랫폼과 MOOCs(Massive Open Online Courses)의 사용이 증가하고 있습니다.

8. 대학의 변화: 대학은 인구 감소와 학생 수의 감소에 대응하기 위해 다양한 전략을 시도하고 있습니다. 산업 현장과의 협력을 강화하거나, 다양한 전공을 결합한 융합 교육 과정을 제공하는 등의 방법을 통해 학생들에게 실용적이고 현장에 즉시 적용 가능한 교육을 제공하려는 노력이 이루어지고 있습니다.

이런 변화들이 이루어지면서, 교육은 더욱 개인화되고, 실용적이며, 평생 지속되는 것으로 변화하고 있습니다. 이러한 변화는 학생들이 자신만의 꿈을 추구하고, 역량을 최대한 발휘할 수 있도록 돕습니다. 또한, 이러한 변화는 교육이 사회와 경제의 변화에 적응하고, 미래의 세계에 대비할 수 있도록 합니다.

대한민국의 교육은 빠르게 변화하고 있습니다. 과거에는 주입식 교육과 성적 지상주의가 지배적이었습니다. 그러나 최근에는 창의성, 문제 해결력, 협업 능력을 강조하는 교육으로 변화하고 있습니다. 산업화 시대에 형성된 기존의 교육 패러다임은 더 이상 유효하지 않으며, 새로운 패러다임으로의 전환이 요구되고 있습니다.

새로운 교육 패러다임의 핵심은 창의성과 융합입니다. 4차 산업혁명 시대에는 단순히 지식을 암기하는 것이 아니라, 새로운 것을 창조하고 기존의 지식과 새로운 지식을 융합할 수 있는 능력이 중요합니다. 이를 위해서는 학생들이 자유롭게 생각하고, 실험하고, 도전할 수 있는 교육 환경이 필요합니다.

또한, 교육은 더 이상 학교에서만 이루어지는 것이 아닙니다. 온라인, 도서관, 박물관 등 다양한 곳에서 교육이 이루어지고 있습니다. 학교는 이제 학생들이 지식을 습득하는 공간이 아니라, 다양한 경험을 통해 배울 수 있는 공간으로 변화해야 합니다. 또 다른 과제는 AI의 발전입니다. AI는 교육 분야에서 다양한 방식으로 활용되고 있습니다. AI는 학생의 학습 데이터를 분석하여 학습 적성을 파악하고, 맞춤형 학습을 제공할 수 있습니다. 또한 AI는 채점, 과제 관리, 수업 운영 등 교육의 다양한 영역에서 활용될 수 있습니다. AI의 발전으로 인해 교육의 효율성이 높아지고, 교육의 질이 향상될 것으로 예상됩니다. 그러나 AI의 발전으로 인해 교사의 일자리가 사라질 것이라는 우려도 있습니다. 학생들은 또한 더 이상 수동적인 학습자가 아니라, 주도적인 학습자가 되어야 합니다. 자신의 관심사와 적성에 따라 학습하고, 자신의 꿈을 실현하기 위해 노력해야 합니다.

교육은 사회 변화에 따라 끊임없이 변화하고 발전해 왔습니다. 대한민국의 교육도 새로운 시대에 맞춰 변화하고 발전해야 합니다. 새로운 교육 패러다임에 맞춰 교육 시스템을 개혁하고, 학생들이 창의성과 융합 능력을 키울 수 있도록 지원해야 합니다. 만화나 웹툰과 같은 창의적인 직업을 가지고 싶어하는 학생들도 무엇을 배워야 할지 막막해 하고 있습니다. 이러한 학생들을 위해 창의적인 직업을 위한 교육 프로그램이 마련되어야 합니다. 또한, 창의적인 직업에 대한 인식을 개선하고, 학생들이 이러한 직업에 도전할 수 있도록 지원하는 사회적 분위기가 조성되어야 합니다.

학생들이 줄어들면서 대학이 문을 닫을 위기에 처해 있는 것도 문제입니다. 대학은 인재 양성의 중요한 역할을 담당하고 있습니다. 대학이 문을 닫으면 대한민국의 미래가 위태로워질 수 있습니다. 대학의 경쟁력을 강화하고, 학생들이 대학에 진학하도록 유도하는 정책이 마련되어야 합니다.

대한민국의 교육은 새로운 시대에 맞춰 변화하고 발전해야 합니다. 새로운 교육 패러다임에 맞춰 교육 시스템을 개혁하고, 학생들이 창의성과 융합 능력을 키울 수 있도록 지원해야 합니다. 또한, 창의적인 직업을 위한 교육 프로그램이 마련되어야 하고, 창의적인 직업에 대한 인식을 개선해야 합니다. 대학의 경쟁력을 강화하고, 학생들이 대학에 진학하도록 유도하는 정책도 마련되어야 합니다.

Q. 대한민국 교육시스템의 장점은 무엇입니까?

1. 열정적인 학습 태도: 대한민국 학생들은 교육에 대한 열정이 뛰어납니다. 부모님들도 아이들의 교육에 많은 관심을 기울이며, 이런 환경 덕분에 한국의 학생들은 세계적으로 높은 성과를 보이고 있습니다.

2. 우수한 교사진: 한국의 교사들은 높은 수준의 전문성을 가지고 있으며, 선생님으로서의 사회적 지위도 높습니다. 교사가 되기 위한 경쟁률도 매우 높아, 교육의 질을 높이는 데 중요한 역할을 합니다.

3. 강화된 STEM 교육: 과학, 기술, 공학, 수학 (STEM) 분야에 대한 교육이 강화되어 있어, 이 분야에서 뛰어난 성과를 보이고 있습니다. 특히, 한국 학생들의 수학 능력은 세계적으로 알려져 있습니다.

4. 교육에 대한 사회적 가치 인식: 한국 사회에서는 교육이 개인

의 사회적 성공을 위한 중요한 수단으로 인식되어 있습니다. 이로 인해 학생들은 교육에 집중하며, 사회 전체가 교육 발전을 지지합니다.

5. 고품질의 대학교: 한국에는 세계적으로 인정받는 고품질의 대학교가 있습니다. 이러한 대학교들은 고급 연구 기회를 제공하며, 국제적인 학문 교류를 촉진합니다.

그러나, 모든 시스템처럼 한국의 교육 시스템도 완벽하지는 않습니다. 경쟁적인 교육 환경으로 인한 학생들의 스트레스, 과도한 암기 위주의 학습, 창의성 부족 등의 문제가 지적되고 있습니다. 이러한 문제들을 해결하기 위해 한국 정부와 교육 기관들은 다양한 교육 개혁을 시도하고 있습니다.

1. 높은 학업 성취도: 대한민국 학생들은 세계적으로 높은 학업 성취도를 보입니다. OECD의 PISA(학업성취도 국제비교연구)에서 대한민국 학생들은 수학, 과학, 읽기에서 모두 높은 성적을 거두었습니다.

2. 우수한 교육 인프라: 대한민국은 우수한 교육 인프라를 갖추고 있습니다. 학교와 도서관이 잘 갖춰져 있으며, 교사의 수준도 높습니다.

3. 경쟁력 있는 교육 시스템: 대한민국의 교육 시스템은 경쟁력이 있습니다. 학생들은 열심히 일하고 학업에 집중합니다.

4. 혁신적인 교육 시스템: 대한민국의 교육 시스템은 혁신적입니다. 새로운 기술과 방법을 적극적으로 도입하고 있습니다.

5. 높은 교육열: 대한민국의 교육열은 매우 높습니다. 부모들은 자녀의 교육에 매우 관심이 많으며, 자녀가 좋은 학교에 진학하도록 노력합니다.

6. 강력한 학습 동기: 대한민국 학생들은 강력한 학습 동기를 가지고 있습니다. 그들은 좋은 대학에 진학하고, 좋은 직장에 취직하여

성공하고자 하는 열망이 있습니다.

7. 우수한 교사: 대한민국의 교사는 매우 우수합니다. 그들은 열정적이고, 학생들을 가르치는 데 능숙합니다.

8. 안전한 교육 환경: 대한민국의 교육 환경은 매우 안전합니다. 학교는 범죄로부터 안전하며, 학생들은 안전하게 학업에 집중할 수 있습니다.

9. 저렴한 교육비: 대한민국의 교육비는 상대적으로 저렴합니다. 특히 공립학교의 교육비는 매우 저렴합니다.

이러한 장점들은 대한민국 교육 시스템이 세계적으로 인정받는 이유입니다. 대한민국 교육 시스템이 이러한 장점을 유지하고 발전시켜 미래 사회를 선도할 수 있기를 기대합니다.

<u>※ 추가요청 (교육비가 낮다는 것에 대한 근거를 달라고 요청하였다)</u>[1]

대한민국의 교육비는 OECD 국가 중 가장 저렴한 수준입니다. OECD의 Education at a Glance 2020에 따르면 대한민국의 초등 및 중등 교육비는 GDP 대비 3.8%로 OECD 평균인 4.7%보다 낮습니다. 고등 교육비도 GDP 대비 2.2%로 OECD 평균인 6.1%보다 낮습니다.

▶ 대한민국의 교육비가 저렴한 이유는 다음과 같습니다.

공교육의 비중이 높기 때문입니다. 대한민국의 초등학교와 중학교는 모두 무상교육이며, 고등학교도 대부분 무상입니다. **교사의 급여가 낮기** 때문입니다. 대한민국의 교사 급여는 OECD 평균보다 낮습니다. **교육비에 대한 정부의 지원**이 많기 때문입니다. 대한민국 정부는 교육비 지원을 위해 다양한 정책을 시행하고 있습니다. 대한민국의 교육비는 저렴하지만, 사교육비는 매우 비쌉니다. 대한민국의 사교육비는 GDP 대비 11.2%로 OECD 평균인 6.1%보다 훨씬 높습니다.

▶ 사교육비가 높은 이유는 다음과 같습니다.

경쟁이 치열하기 때문입니다. 대한민국은 경쟁이 치열한 사회이며, 학생들은 좋은 대학에 진학하기 위해 사교육을 많이 받습니다. **부모의 교육열**이 높기 때문입니다. 대한민국의 부모들은 자녀의 교육에 매우 관심이 많으며, 자녀가 좋은 대학에 진학하도록 사교육을 많이 시키는 경향이 있습니다. **정부의 규제가 미비**하기 때문입니다. 대한민국 정부는 사교육에 대한 규제가 미비하여 사교육비가 높게 책정될 수 있습니다.

---

[1] 뒷부분에 중복 설명되는 부분이 있음

Q. 대한민국의 교육은 내가 일 하는 직장에 어떤 영향을 미 칠까요?

많은 사람들이 대한민국의 교육이 일상 생활뿐만 아니라 직장에서도 어떤 영향을 미칠지에 관심을 가지고 있습니다. 직장은 우리의 경제적 안정과 개인적인 성취를 위한 중요한 공간입니다. 그리고 교육은 이러한 직장 환경에서도 큰 역할을 할 수 있습니다.

대한민국의 교육 시스템은 경쟁이 치열하고 학생들은 학업 성취에 대한 높은 기대에 직면해 있습니다. 대한민국 학생들은 세계 최고 수준의 교육을 받고 있으며 국제 시험에서 지속적으로 높은 점수를 받고 있습니다. 그러나 대한민국 교육은 또한 매우 스트레스가 많고 경쟁적입니다. 대한민국 학생들은 종종 긴 근무일과 엄격한 학업 일정에 직면해 있습니다.

인공지능에게 물어봅니다. ChatGPT와 Bard는 대한민국의 교육에 대해 어떻게 생각하고 있을까요?

챗GPT가 답하다

기존의 대한민국의 교육은 학업에 중점을 두는 경향이 있습니다. 이는 대학 진학을 위한 경쟁이 치열하고, 사무직이 대중적으로 선호되는 사회적 분위기와 관련이 있습니다. 따라서 교육과정은 학문적인 지식과 학업적 성과에 초점을 맞추는 경우가 많습니다.

과목 구성 및 커리큘럼을 보면 교육과정에서부터 사무직을 중요시하고 지식 중심의 교과목을 필수로 구성하는 경향이 있습니다. 반면, 기술과목들은 선택 과목으로 배정되는 경우가 많습니다. 이는 학문적인 지식을 강조하는 경향을 보여주며, 기술보다는 지식이 더 중요하다는 태도를 학생들에게 심어줄 수 있습니다. 학생들은 은연중에 이러한 태도를 학습하게 됩니다.

이러한 교육 체계의 특징은 대한민국의 사회적인 가치 및 직업상의 우선순위에 반영되었을 수 있습니다. 그러나 최근 몇 년간은 사회와 산업의 변화에 따라 교육도 변화하고 있으며, 실무 중심의 교육과정이 강화되고 생산직에 필요한 역량을 갖출 수 있는 교육 방식의 개선이 이루어지고 있습니다. 실제적인 직업 교육 프로그램 및 학과도 확대되고 있으며, 학생들에게 직업적 기술과 실무 능력을 강화하는데 초점을 맞추고 있습니다.

대한민국의 교육 시스템에서는 오랫동안 대학 진학을 위한 준비가 핵심적인 목표였습니다. 그러나 최근 몇 년간 사회와 산업의 변화로 인해 직업 교육의 중요성이 강조되고 있습니다. 학생들은 단순히 대학 진학이 아니라 실제 직업에서 요구되는 기술과 능력을 보다 효과적으로 배울 수 있는 교육을 받을 필요성을 인식하고 있습니다.

최근 대한민국의 교육과정은 직업 교육 프로그램과 학과를 확대하고 발전시키고 있습니다. 이러한 프로그램은 실제 직업에 대한 전문 지식과 기술, 실무적인 능력을 강화하기 위한 교육 내용을 제공합니다. 예를 들어, IT 기술, 제조업 기술, 호텔 경영, 금융 및 회계 등 다양한 직업 분야에 대한 교육과정이 개발되었으며, 직업 교육을 위한 전문 학과나 전문 대학도 등장하고 있습니다.

대한민국에서는 대학 진학을 위한 경쟁이 치열하며, 고등학교 시기부터 대학 입시를 위한 공부에 많은 시간과 노력을 투자하는 것이 일반적입니다. 대학 진학을 위해 학생들은 국내의 대학들이 제공하는 교육 수준을 고려하여 준비하고, 대학 입시에서 우수한 성적을 얻기 위해 노력합니다. 대한민국 교육 시스템은 대학 진학에 초점을 맞추어 학생들이 전문적인 지식과 기술을 습득하고 높은 교육 수준을 달성할 수 있도록 지원하고 있다고 해도 지나치지 않습니다.

기존의 교육이 대학진학을 목표로 전개되어 얻은 장점도 있지만, 대학진학이 주요 목표로 인식되면서 학력에 대한 과도한 강조와 경쟁이 심화되었으며, 이로 인해 일부 학생들은 실질적인 역량과 경험을 부족하게 되는 경우가 있을 수 있습니다. 또한, 학력 인플레이션은 학생들의 성적에 대한 신뢰도를 저하시키고, 직장에서의 역량 평가와의 불일치를 초래하였습니다.

최근 대한민국 사회에서는 대학진학 만을 중시하던 가치관이 변화하고 있는 추세입니다. 전통적으로는 대학 진학을 통해 사회적 지위와 경제적 안정을 얻는 것이 사회적으로 선호되었습니다. 그러나 이제는 다양한 직업과 경력 경로를 통해 개인의 역량과 잠재력을 개발하고 실현하는 것이 더욱 중요하게 인식되고 있습니다.

사회의 가치관 변화는 직업 교육의 중요성을 강조하고, 대학 진학 이외의 직업 준비와 직업적 기술 획득에 관심을 기울이는 추세를 가져왔습니다. 직업 교육은 다양한 직업 분야에서 실무에 필요한 기술과 전문성을 개발하는 데 초점을 맞추고 있습니다. 이는 개인이 다양한 직업 선택과 진로 개발을 할 수 있는 기회를 제공하고, 교육 수준만이 성공의 척도가 아니라 개인의 역량과 직무 수행 능력을 중시하는 시각을 반영하고 있습니다.

대한민국 교육은 학생들에게 직장 생활에 적합한 태도를 가르칠 수 있습니다. 대한민국의 교육 시스템은 학생들에게 근면, 성실, 책임감과 같은 직장에서 중요한 태도를 가르치기도 합니다. 이러한 태도는 학생들이 직장에서 성공하고 비즈니스에 기여하는 데 도움이 될 수 있습니다. 예를 들어, 근면은 학생들이 목표를 달성하고 어려운 작업에 집중하는 데 도움이 될 수 있습니다. 성실은 학생들이 신뢰할 수 있고 일을 옳게 하는 데 도움이 될 수 있습니다. 책임감은 학생들이 자신의 행동에 대해 책임을 지고 약속을 지키는 데 도움이 될 수 있습니다.

어떤 교육을 받고, 어디에서 교육을 받느냐에 따라 취업할 수 있는 직업과 직업에서 받을 수 있는 보수가 달라질 수 있습니다. 대한민국에서 좋은 직업을 얻으려면 대학을 졸업하는 것이 일반적입니다. 그러나 대학 졸업만으로는 충분하지 않습니다. 좋은 직업을 얻으려면 관련 분야에서 경험을 쌓고, 네트워크를 구축하는 것도 중요합니다.

대한민국의 교육 시스템은 경쟁이 치열하고 학생들은 학업 성취에 대한 높은 기대에 직면해 있습니다. 이러한 기대는 학생들이 더 열심히 일하고 더 나은 성적을 받도록 동기를 부여할 수 있습니다.

또한 대한민국의 교육 시스템은 학생들에게 다양한 기술과 지식을 가르치기 때문에 학생들이 직장에서 성공하는 데 필요한 도구를 갖추도록 도울 수 있습니다.

개인의 교육 수준은 직업 전망에 상당한 영향을 미칩니다. 연구에 따르면 대학 졸업생은 고졸자보다 취업률과 임금이 높습니다. 이는 대학 졸업생이 더 나은 기술과 지식을 가지고 있으며 더 복잡한 작업을 수행할 수 있기 때문입니다. 예를 들어, 한 연구에 따르면 대학 졸업생은 고졸자보다 취업률이 15% 높고 임금이 25% 더 높습니다.

오늘날 우리 사회는 특정 교육을 이수해야만 직업을 가질 수 있는 분위기에 있습니다. 이는 대학을 졸업하지 않은 사람은 성공할 수 없다는 생각에 기반을 두고 있습니다. 그러나 이것은 사실이 아닙니다. 대학을 졸업하지 않고도 성공하는 많은 사람들이 있습니다. 실제로, 많은 사람들은 대학을 졸업하지 않은 것이 더 행복하다고 보고합니다.

그렇다면 왜 우리 사회는 여전히 대학 졸업이 직업 성공의 필수 요건 이라고 생각하는 것일까요? 그 이유는 여러 가지가 있습니다. 첫째, 대학 졸업은 높은 소득과 좋은 직업의 지표로 여겨집니다. 둘째, 대학 졸업은 지능과 능력의 표시로 여겨집니다. 셋째, 대학 졸업은 성공을 위한 도약 발판으로 여겨집니다.

그러나 이러한 인식은 꼭 옳은 것은 아닙니다. 높은 소득과 좋은 직업을 얻기 위해 대학을 졸업하는 것이 항상 쉬운 것은 아닙니다.

또한, 대학을 졸업했다고 해서 반드시 지능이 높거나 능력이 있는 것은 아닙니다. 마지막으로, 대학 졸업은 성공을 보장하지 않습니다.

대한민국의 교육은 기업에도 큰 영향을 미쳤습니다. 기업은 고도로 교육받고 숙련된 인력을 필요로 하며, 교육 수준이 높은 인력을 고용함으로써 경쟁에서 우위를 점할 수 있습니다. 기업이 고용할 수 있는 인재가 어떤 교육을 받고, 어디에서 교육을 받느냐는 기업의 생산성과 경쟁력에 중요한 역할을 합니다. 또한, 직원들의 교육수준에 따라 기업이 지불해야 하는 임금이 달라질 수 있습니다.

기업은 좋은 인재를 고용하기 위해 경쟁합니다. 좋은 인재를 고용하려면 기업은 좋은 급여와 복리후생을 제공해야 합니다. 또한, 기업은 좋은 근무 환경을 조성해야 합니다.

직원 개인들의 교육 수준이 높을수록 직원은 더 생산적일 가능성이 높습니다. 그들은 새로운 것을 배우고, 문제를 해결하고, 창의적인 아이디어를 내놓을 가능성이 더 높습니다. 또한, 교육 수준이 높은 직원일 수록 직원 개인의 사기와 만족도가 높을 가능성이 높습니다. 이는 기업의 생산성과 수익성 향상으로 이어질 수 있습니다.

또한, 교육 수준이 높을수록 직원은 기업을 위해 더 오래 일할 가능성이 높습니다. 이는 직원들이 회사를 떠나 다른 직업과 더 나은 급여를 찾을 가능성이 줄어들기 때문에 직원의 회사에 대한 충성도를 높일 수 있습니다. 이는 회사의 인력 안정성 향상으로 이어질 수 있습니다.

교육 네트워크도 기업에 큰 영향을 미칠 수 있습니다. 학교, 클럽, 조직과 같은 다양한 상황에서 교육받은 직원들을 통해 회사는 끊임없이 성장할 수 있습니다. 따라서 기업은 우수한 교육을 받은 인재를 선발하기 위해 노력하게 됩니다.

대한민국의 교육은 산업 구조를 고도화시키는 데 크게 기여했습니다. 고도로 숙련된 인력을 양성해 왔기 때문에 대한민국은 전자, 자동차, 조선 등 고부가가치 산업을 발전시킬 수 있었습니다. 또한, 교육을 통해 창의적이고 혁신적인 인재를 양성해 왔기 때문에 대한민국은 IT, 바이오 등 신성장 동력 산업을 선도할 수 있었습니다.

그러나, 대한민국의 교육이 산업 구조에 미치는 영향은 긍정적인 측면만 있는 것은 아닙니다. 교육에 대한 지나친 경쟁과 입시 위주의 교육은 학생들의 창의성과 문제 해결 능력을 저해할 수 있다는 지적이 있습니다. 또한, 교육비 부담이 높아서 학생들의 경제적 부담으로 이어질 수 있다는 문제도 있습니다.

이러한 문제점을 극복하기 위해서는 교육의 패러다임을 바꾸는 것이 필요합니다. 학생들의 창의성과 문제 해결 능력을 키우는 교육으로 전환하고, 교육비 부담을 줄이기 위한 정책을 마련해야 합니다. 또한, 교육이 산업 구조와 상생할 수 있도록 교육과 산업 간 협력을 강화해야 합니다.

대한민국의 교육이 산업 구조에 미치는 영향은 앞으로도 계속해서 중요해질 것입니다. 교육이 산업 구조를 고도화시키고, 새로운 성장 동력을 창출하는 데 중요한 역할을 할 것으로 기대됩니다.

Q. 대한민국의 교육은 내가 가진 관계에 어떤 영향을 미칠까요?

교육을 통해 얻은 가치관은 우리의 인간관계에 큰 영향을 미칩니다. 우리가 교육을 받을 때 습득하는 윤리적 가치, 소통과 협력의 중요성, 다양성에 대한 이해, 도덕적 선택과 자기개발에 대한 관심, 그리고 긍정적인 관계 형성과 봉사의 가치들은 우리의 주변 인적 관계를 조성하고 변화시킵니다.

교육은 단순히 지식의 습득뿐만 아니라, 문제해결 능력, 창의성, 인지 능력, 자기주도적 학습 능력 등을 키우는 데에도 중요한 역할을 합니다. 이러한 능력들은 미래의 일자리 시장에서 요구되는 핵심 역량으로 자리 잡고 있으며, 교육을 통해 이러한 역량을 키우는 것은 우리의 미래를 준비하는 데에도 큰 역할을 합니다. 따라서 우리는 교육을 추진하는 데에 있어서 항상 더 나은 방향을 모색하고 발전시켜 나가야 합니다.

4차 산업혁명 시대가 도래하면서, 기존의 산업과 업무 방식이 급격하게 변화하고 있습니다. 이러한 변화는 미래의 일자리와 생활 방식을 크게 바꿀 것으로 예상되며, 이에 대비한 새로운 교육 체계와 역량이 필요합니다. 따라서 우리는 새로운 산업과 업무 방식에 대한 이해와 대처 능력, 창의성과 혁신력, 그리고 문제 해결 능력 등을 강화하는 교육 체계를 구축하고, 이를 통해 우리가 미래를 준비하고 대응할 수 있는 인재들을 양성해 나가야 합니다.

국내외의 다양한 교육 기관과 연구센터에서는 4차 산업혁명 시대에 필요한 역량을 강화하는 교육 방법과 프로그램을 개발하고 있으며, 이러한 노력들이 교육 분야에서 진행되고 있습니다. 학교 교육과정도 사회변화에 따라 협동학습, 문제해결력을 강조하는 방향으로 교육과정이 바뀌고 있습니다. 협동학습과 문제해결 능력은 미래의 일자리와 삶의 질을 높이는 데 매우 중요한 역할을 합니다.

대한민국의 교육 시스템은 경쟁이 치열하고 학생들에게 많은 스트레스를 준다는 비판을 받아왔습니다. 그러나 대한민국의 교육 시스템은 학생들에게 성공하는 데 필요한 기술과 태도를 가르쳐 줄 수 있다는 장점도 있습니다.

대한민국의 교육 시스템은 학생들에게 근면, 성실, 책임감과 같은 직장에서 중요한 태도를 가르치기도 합니다. 이러한 태도는 학생들이 직장에서 성공하고 비즈니스에 기여하는 데 도움이 될 수 있습니다. 예를 들어, 근면은 학생들이 목표를 달성하고 어려운 작업에 집중하는 데 도움이 될 수 있습니다. 성실은 학생들이 신뢰할 수 있고 일을 옳게 하는 데 도움이 될 수 있습니다. 책임감은 학생들이 자신의 행동에 대해 책임을 지고 약속을 지키는 데 도움이 될 수 있습니다.

대한민국의 교육 시스템은 또한 학생들에게 다양한 배경과 문화의 사람들과 의사 소통하고 상호 작용하는 방법을 가르칩니다. 이러한 기술은 학생들이 글로벌 경제에서 성공하는 데 도움이 될 수 있습니다. 오늘날의 세계는 점점 더 글로벌화되고 있으며, 성공하려면 다양한 배경과 문화의 사람들과 의사 소통하고 협력할 수 있어야 합니다. 대한민국의 교육 시스템은 학생들이 이러한 기술을 개발하는 데 도움이 될 수 있습니다.

　마지막으로 대한민국의 교육 시스템은 학생들에게 가치관과 신념을 개발하는 데 도움이 될 수 있습니다. 이러한 가치관과 신념은 학생들이 인생에서 올바른 선택을 하고 성공적인 삶을 살도록 도울 수 있습니다. 예를 들어, 대한민국의 교육 시스템은 학생들에게 정직, 근면, 책임감의 중요성을 가르칩니다. 이러한 가치관은 학생들이 직업, 교육 및 개인적인 관계에서 성공하는 데 도움이 될 수 있습니다.

　전반적으로 대한민국의 교육 시스템은 학생들이 성공하는 데 필요한 기술, 태도 및 가치관을 가르쳐 줄 수 있습니다. 대한민국의 교육 시스템은 경쟁이 치열하고 학생들에게 많은 스트레스를 준다는 비판을 받아왔지만, 학생들이 직업, 교육 및 개인적인 관계에서 성공하는 데 도움이 될 수 있는 많은 장점도 있습니다.

대한민국 교육 시스템은 학생들에게 협업과 팀워크의 중요성을 가르칠 수 있습니다. 학생들은 종종 프로젝트와 과제를 팀으로 수행하도록 요구받으며, 이는 협업 기술과 의사 소통 기술을 개발하는 데 도움이 될 수 있습니다. 이러한 기술은 직장과 개인 생활 모두에서 성공하는 데 도움이 될 수 있습니다.

　대한민국 교육 시스템은 또한 학생들에게 리더십의 중요성을 가르칠 수 있습니다. 학생들은 종종 그룹이나 프로젝트의 리더로 임명되며, 이는 리더십 기술을 개발하는 데 도움이 될 수 있습니다. 이러한 기술은 직장과 개인 생활 모두에서 성공하는 데 도움이 될 수 있습니다.

마지막으로 대한민국 교육 시스템은 학생들에게 자신감과 자기 수용의 중요성을 가르칠 수 있습니다. 학생들은 종종 자신의 능력에 도전하도록 권장받으며, 이는 자신감을 개발하는 데 도움이 될 수 있습니다. 이러한 자신감은 직장과 개인 생활 모두에서 성공하는 데 도움이 될 수 있습니다.

전반적으로 대한민국 교육 시스템은 학생들이 성공하는 데 필요한 기술, 태도 및 가치관을 가르쳐 줄 수 있습니다. 대한민국의 교육 시스템은 경쟁이 치열하고 학생들에게 많은 스트레스를 준다는 비판을 받아왔지만, 학생들이 직업, 교육 및 개인적인 관계에서 성공하는 데 도움이 될 수 있는 많은 장점도 있습니다.

대한민국 교육 시스템은 또한 학생들에게 자신의 국가에 대한 자부심과 애국심을 가르칠 수 있습니다. 학생들은 종종 대한민국의 역사와 문화에 대해 배우고, 대한민국의 국민이 된 것을 자랑스러워하도록 권장받습니다. 이러한 감정은 대한민국 사회에서 더 강한 유대감을 형성하는 데 도움이 될 수 있습니다.

또한, 대한민국 교육 시스템은 학생들에게 다른 문화를 존중하는 법을 가르칠 수 있습니다. 학생들은 종종 세계의 다른 국가와 문화에 대해 배우고, 다른 문화를 가진 사람들에게 관대하고 이해하도록 권장받습니다. 이러한 가치는 더 평화롭고 포용적인 세계를 만드는 데 도움이 될 수 있습니다.

Q. 대한민국의 교육은 미래 사회에 어떤 영향을 미치고 있습니까?

한국의 교육 시스템은 오랫동안 세계에서 가장 엄격하고 까다로운 시스템 중 하나로 여겨져 왔습니다. 학업 성취도에 중점을 두며 국가의 급속한 경제 발전과 세계적 성공의 원동력이 되었습니다. 한국에서 교육의 영향은 개인의 차원을 넘어 다양한 측면에서 한국 사회의 미래를 결정짓는 중요한 역할을 합니다. 이 에세이에서 우리는 한국의 교육이 경제, 사회적 이동성, 문화적 가치 및 혁신에 미치는 영향을 고려하여 한국의 미래 사회에 어떤 영향을 미치는지 탐구할 것입니다.

한국의 교육이 미래 사회에 영향을 미치는 주요 방식 중 하나는 경제에 미치는 영향입니다. 한국의 교육 시스템은 고도로 숙련되고 경쟁력 있는 인력을 양성하는 데 중요한 역할을 했으며, 이는 국가 경제 성장에 중요한 역할을 했습니다. 과학, 기술, 공학 및 수학(STEM) 과목에 대한 강조는 한국이 전자, 자동차 및 통신과 같은 산업에서 글로벌 리더가 되는 데 도움이 되었습니다. 국가의 고등 교육을 받은 인력은 외국인 투자를 유치하고 혁신을 촉진하여 경제 발전을 주도하고 일자리를 창출했습니다.

또한 한국 교육 시스템은 규율, 근면, 인내를 강조합니다. 이러한 가치는 어린 나이부터 학생들에게 주입되며 성공을 위한 필수 자질로 간주됩니다. 그 결과 한국 사회는 근면과 헌신을 중시하는 경향이 있으며, 이는 노동력의 강력한 노동 윤리와 생산성에 기여합니다. 이러한 문화적 사고방식은 한국의 경제적 성공과 빠르게 변화하는 글로벌 시장 상황에 적응하는 능력에 중요한 요소였습니다.

그러나 한국 교육 시스템의 학업 성취도에 대한 과도한 집중에도 몇 가지 단점이 있습니다. 표준화된 시험과 기계적 암기에 대한 강조는 성공에 대한 협소한 정의로 이어질 수 있으며, 여기서 개인은 주로 학업 성취도에 따라 판단됩니다. 이것은 학생들에게 엄청난 압력을 가할 수 있으며 종종 높은 수준의 스트레스와 정신 건강 문제를 초래합니다. 교육 시스템의 경쟁적 특성은 또한 개인이 협력과 협업을 촉진하기보다는 동료를 능가하는 데에만 집중하는 초경쟁 사회로 이어질 수 있습니다. 이러한 도전은 한국 교육 시스템 내에서 학생들의 전반적인 복지를 고려하여 교육에 대한 보다 총체적인 접근 방식을 촉진하기 위한 논의와 개혁을 촉발시켰습니다.

한국에서 교육이 영향을 미치는 또 다른 중요한 측면은 사회적 이동성입니다. 역사적으로 교육은 한국 사회에서 신분 상승을 위한 주요 수단으로 여겨져 왔습니다. 명문 대학에 진학하는 것은 더 나은 취업 기회와 사회적 지위를 얻을 수 있는 문을 열어준다고 믿기 때문에 매우 가치가 있습니다. 그 결과 성공의 관문으로 인식되는 일류 대학에 입학하기 위해 학생들 사이에 치열한 경쟁이 벌어지고 있습니다.

교육이 한국 사회 이동에 미치는 영향은 양날의 검입니다. 한편으로는 소외된 배경의 밝고 근면한 학생들에게 빈곤의 악순환을 끊고 상향 이동을 달성할 수 있는 기회를 제공합니다. 교육은 학업을 잘 수행하는 사람들에게 보상하는 능력주의 시스템으로 작용합니다. 이는 소득 불평등을 줄이고 보다 공평한 사회를 만드는 데 기여했습니다.

반면에 엘리트 교육에 대한 강조는 사회적 계층화를 영속시킬 수 있습니다. 부유한 가정의 학생들은 종종 개인 과외, 과외 활동 및 전문 학교와 같은 더 나은 교육 자원을 이용할 수 있습니다. 이러한 이점은 저소득층 가정의 학생들이 학업 성공을 위한 동일한 기회를 갖지 못할 수 있기 때문에 부자와 가난한 사람 사이의 격차를 더욱 넓힙니다. 결과적으로 한국의 교육 시스템은 사회적 이동성을 위한 수단을 제공함에도 불구하고 기존의 불평등을 강화하기도 합니다.

더욱이 한국의 교육은 문화적 가치와 사회적 규범에 지대한 영향을 미칩니다. 유교 유산은 권위에 대한 존중, 효도, 위계적 관계를 강조하면서 한국 교육 시스템을 크게 형성했습니다. 이러한 가치는 학생이 교사, 부모 및 사회의 노인과 상호 작용하는 방식에 반영됩니다. 교육 시스템 내에서 규율과 복종에 초점을 맞추는 것은 사회 질서 감각을 키우는 데 중요한 역할을 해왔습니다.

대한민국의 교육은 미래 사회에 큰 영향을 미치고 있습니다. 대한민국의 교육은 세계적으로 높은 수준으로 평가받고 있으며, 이로 인해 대한민국은 경제, 사회, 문화 등 다양한 분야에서 선진국으로 도약할 수 있었습니다.

대한민국의 교육이 미래 사회에 미치는 영향은 다음과 같이 요약할 수 있습니다.

첫째, 대한민국의 교육은 미래 사회에 필요한 인재를 양성하는 데 기여하고 있습니다. 대한민국의 교육은 과학 기술, 정보 기술, 창의성 등 미래 사회에 필요한 다양한 분야의 인재를 양성하고 있습니다. 이로 인해 대한민국은 4차 산업혁명 시대를 선도할 수 있는 기반을 마련할 수 있었습니다.

둘째, 대한민국의 교육은 미래 사회에 필요한 가치를 함양하는 데 기여하고 있습니다. 대한민국의 교육은 민주 시민 의식, 협업 정신, 문제 해결 능력 등 미래 사회에 필요한 다양한 가치를 함양하고 있습니다. 이로 인해 대한민국은 갈등과 분열이 심화되는 세계 속에서도 하나의 공동체로 발전할 수 있었습니다.

셋째, 대한민국의 교육은 미래 사회에 필요한 문화를 창조하는 데 기여하고 있습니다. 대한민국의 교육은 창의성, 예술성, 도전 정신 등 미래 사회에 필요한 다양한 문화를 창조하고 있습니다. 이로 인해 대한민국은 세계적인 문화 강국으로 발돋움할 수 있었습니다.

그러나 대한민국의 교육이 미래 사회에 미치는 영향은 긍정적인 측면만 있는 것은 아닙니다. 대한민국의 교육은 다음과 같은 부정적인 측면도 가지고 있습니다.

첫째, 대한민국의 교육은 경쟁과 획일화에 치우쳐 있습니다. 대한민국의 교육은 대학 입시 경쟁이 치열하고, 학생들은 입시 위주의 교육을 받기 때문에 창의성이나 문제 해결 능력을 키우기 어렵습니다.

둘째, 대한민국의 교육은 사교육에 의존하고 있습니다. 대한민국의 교육은 공교육의 질이 낮기 때문에 학생들은 사교육에 의존할 수밖에 없습니다. 이로 인해 교육비가 크게 증가하고, 교육의 기회가 불평등하게 분배됩니다.

셋째, 대한민국의 교육은 미래 사회에 필요한 변화에 적응하지 못하고 있습니다. 대한민국의 교육은 산업화 시대에 맞춰 설계되었기 때문에 4차 산업혁명 시대에 필요한 변화에 적응하지 못하고 있습니다. 이로 인해 대한민국은 미래 사회에서 뒤처질 수 있습니다.

이러한 문제점을 해결하기 위해서는 대한민국의 교육이 다음과 같은 방향으로 변화해야 합니다.

첫째, 대한민국의 교육은 경쟁과 획일화에서 벗어나 창의성과 협력을 강조해야 합니다. 대한민국의 교육은 학생들이 창의적으로 사고하고, 협력적으로 문제를 해결할 수 있도록 교육해야 합니다.

둘째, 대한민국의 교육은 공교육의 질을 높이고 사교육 의존도를 줄여야 합니다. 대한민국의 교육은 공교육의 질을 높이고, 사교육비 부담을 줄이기 위한 정책을 마련해야 합니다.

셋째, 대한민국의 교육은 미래 사회에 필요한 변화에 적응할 수 있도록 변화해야 합니다. 대한민국의 교육은 4차 산업혁명 시대에 필요한 교육을 제공하고, 미래 사회에 필요한 인재를 양성할 수 있도록 변화해야 합니다.

대한민국의 교육은 미래 사회의 가장 중요한 요소 중 하나입니다. 대한민국의 교육이 미래 사회에 필요한 인재를 양성하고, 미래 사회에 필요한 가치를 함양하며, 미래 사회에 필요한 문화를 창조할 수 있도록 대한민국의 교육이 변화해야 합니다.

Q. 대한민국의 부모들은 자녀의 교육에 대해 어떤 어려움을 겪고 있습니까?

대한민국의 부모들은 자녀의 교육에 대해 여러 가지 어려움을 겪고 있다. 이는 경제적 부담, 사회적 압박, 교육시스템의 복잡성 등 다양한 요인에 기인한다. 이번 장에서는 이러한 어려움들을 분석하고 이로 인한 효과에 대해 깊이 이해해볼 것이다.

첫째로, 대한민국에서 교육비는 부모들에게 큰 경제적 부담을 주는 주요한 문제 중 하나이다. 특히 사교육비는 부모들에게 큰 경제적 부담을 가중시킨다. 학교 외의 학습 활동, 예를 들어 학원, 개인 과외, 온라인 학습 등을 위해 많은 비용이 필요하다. 이는 부모들이 자녀의 교육을 지원하기 위해 대출을 받거나 저축을 사용하도록 만들어 경제적으로 어려움을 겪게 한다.

둘째로, 대한민국의 부모들은 자녀의 학업 성적에 대한 사회적인 압박을 느낀다. 대한민국에서는 학력주의가 깊게 뿌리내려있어 자녀의 학업 성적은 부모의 사회적 지위와 직접적으로 연결되어 있다고 인식되곤 한다. 이로 인해 부모들은 자녀가 좋은 학교에 입학하기 위해 과도하게 압박하거나 자신들이 느끼는 스트레스를 자녀에게 전달하기도 한다.

셋째로, 복잡하고 변화무쌍한 교육 시스템도 부모들에게 어려움을 주는 요인 중 하나이다. 고등교육 진학 방식, 입시 시스템, 교과과정 등 교육 관련 정보가 빠르게 변화하고 있어 부모들이 이를 따라가기 어렵다. 이는 자녀의 교육 계획을 세우는 데 어려움을 겪게 하며, 때로는 잘못된 정보에 기반한 결정을 내리는 경우도 있다.

마지막으로, 부모들은 자녀의 정서적인 문제와 스트레스에 대처하는데 어려움을 겪는다. 과도한 학업 압박으로 인해 많은 학생들이 스트레스와 우울증을 겪고 있습니다. 부모들은 이러한 문제를 식별하고 적절하게 대응하는 데 어려움을 느낍니다. 이는 대한민국에서 정서적인 문제에 대한 인식이 낮고, 관련 전문가들이 부족하기 때문이다.

이상과 같이, 대한민국의 부모들은 자녀의 교육에 대한 여러 가지 어려움을 겪고 있다. 이러한 어려움은 부모들 뿐만 아니라 자녀들에게도 부담을 주며, 때로는 그들의 정서적인 안정과 건강을 해치기도 한다. 이는 우리 사회가 교육에 대한 관점을 다시 생각하고, 모든 아이들이 건강하게 성장하고 배울 수 있는 환경을 만드는 데 중요한 요소이다.

어쨌든 부모들이 겪는 이러한 어려움을 이해하는 것은 우리가 교육 시스템을 개선하고, 모든 학생들이 공평하고 정의로운 교육을 받을 수 있도록 하는 데 중요하다. 그리고 이것은 단순히 개인의 문제가 아니라, 사회 전체가 함께 노력해야 할 문제이다. 결국 교육은 우리 사회의 미래를 결정하는 데 매우 중요한 요소이기 때문이다.

대한민국의 부모들은 자녀의 교육에 대해 많은 어려움을 겪고 있다. 그러나 이러한 어려움을 극복하고 교육에 대한 투자와 노력을 계속하는 것은 부모로서의 역할 중 하나이다. 그리고 이것은 결국 자녀의 미래를 위한 것이며, 그 결과는 사회 전체에 이르게 된다. 이로서 교육의 가치와 중요성을 다시 한번 인식하게 된다.

✦ Bard가 답하다

한국의 부모들은 자녀의 교육에 매우 관심이 많습니다. 그들은 자녀가 좋은 학교에 들어가 좋은 성적을 받기를 바라며, 자녀의 교육을 위해 많은 노력을 기울입니다. 그러나 한국의 교육 환경은 매우 경쟁이 치열하며, 부모들은 자녀의 교육을 위해 많은 어려움을 겪고 있습니다.

한국 부모들이 겪고 있는 자녀 교육의 어려움은 다음과 같습니다.

과도한 경쟁

한국의 교육은 매우 경쟁이 치열합니다. 학생들은 좋은 대학에 들어가기 위해 치열한 경쟁을 벌여야 합니다. 이로 인해 학생들은 스트레스를 많이 받게 되고, 자존감이 낮아질 수 있습니다. 부모들도 자녀의 교육에 대한 부담감으로 인해 스트레스를 받게 됩니다.

한국의 교육 경쟁이 치열한 데에는 여러 가지 이유가 있습니다. 첫째, 한국 사회는 학벌에 매우 집착합니다. 좋은 대학을 나와야 좋은 직장에 취직할 수 있고, 좋은 직장에 취직해야 좋은 삶을 살 수 있다고 생각합니다. 둘째, 한국의 교육은 매우 입시 위주로 이루어집니다. 학생들은 수능에 대비하기 위해 많은 시간을 공부해야 합니다. 셋째, 한국의 사교육 시장이 매우 발달되어 있습니다. 학생들은 사교육을 통해 경쟁력을 높이기 위해 노력합니다.

과도한 경쟁은 학생들에게 많은 문제를 일으킵니다. 학생들은 스트레스를 많이 받게 되고, 자존감이 낮아질 수 있습니다. 또한, 학생들은 학업에만 집중하게 되고, 다른 활동에 참여할 시간이 줄어들수 있습니다. 심한 경우에는 우울증이나 불안증에 걸릴 수도 있습니다. 부모들도 자녀의 교육에 대한 부담감으로 인해 스트레스를 받게 됩니다. 또한, 자녀가 경쟁에서 뒤처지는 것을 두려워하게 됩니다.

높은 교육비

한국의 교육비는 매우 높습니다. 사교육비, 교과서비, 급식비 등 교육에 들어가는 비용이 만만치 않습니다. 이로 인해 저소득층 가정은 자녀의 교육에 어려움을 겪을 수 있습니다.

한국의 교육비가 높은 데에는 여러 가지 이유가 있습니다. 첫째, 한국의 사교육 시장이 매우 발달되어 있습니다. 학생들은 사교육을 통해 경쟁력을 높이기 위해 노력합니다. 둘째, 한국의 교육은 매우 입시 위주로 이루어집니다. 학생들은 수능에 대비하기 위해 많은 시간을 공부해야 합니다. 셋째, 한국의 부모들은 자녀의 교육에 대한 기대치가 높습니다. 그들은 자녀가 좋은 학교에 들어가 좋은 성적을 받기를 바랍니다.

높은 교육비는 저소득층 가정에 큰 부담이 됩니다. 저소득층 가정은 사교육비를 감당할 여력이 없기 때문에 자녀의 교육에 어려움을 겪을 수 있습니다. 또한, 자녀가 좋은 학교에 들어가기 어려울 수 있습니다.

부모의 교육 수준

부모의 교육 수준이 자녀의 교육 성취도에 영향을 미칩니다. 부모의 교육 수준이 높을수록 자녀의 교육 성취도가 높을 가능성이 높습니다. 이로 인해 교육 수준이 낮은 부모들은 자녀의 교육에 어려움을 겪을 수 있습니다.

부모의 교육 수준이 자녀의 교육 성취도에 영향을 미치는 데에는 여러 가지 이유가 있습니다. 첫째, 교육 수준이 높은 부모는 자녀에게 더 많은 교육적 자원을 제공할 수 있습니다. 그들은 자녀에게 책을 사주고, 학원에 보내주고, 과외를 시킬 수 있습니다. 둘째, 교육 수준이 높은 부모는 자녀에게 더 나은 교육 환경을 제공할 수 있습니다. 그들은 자녀에게 조용한 학습 공간을 제공하고, 자녀의 교육에 관심을 가질 수 있습니다. 셋째, 교육 수준이 높은 부모는 자녀에게 더 나은 교육 방법을 가르칠 수 있습니다. 그들은 자녀에게 효과적인 학습 방법을 가르치고, 자녀가 학업에 어려움을 겪을 때 도움을 줄 수 있습니다.

교육 수준이 낮은 부모는 자녀의 교육에 필요한 자원을 제공하기 어려울 수 있습니다. 또한, 자녀에게 효과적인 교육 방법을 가르치기 어려울 수 있습니다. 이로 인해 자녀의 교육 성취도가 저하될 수 있습니다

Q. 대한민국의 교육은 내가 가진 신념에 어떤 영향을 미칠까요?

대한민국의 교육은 개인이 가진 신념에 많은 영향을 미칩니다. 교육은 사회적 가치와 이념을 전달하고, 개인의 성장과 발전을 위한 기반을 제공합니다. 이에 따라 대한민국의 교육체계는 개인의 신념과 가치관을 형성하고 영향을 미치는 주요 요소입니다. 다양한 사례를 통해 이를 살펴보겠습니다.

첫째, 대한민국의 교육은 경쟁과 성취에 대한 강한 강조가 신념에 영향을 미칩니다. 대한민국은 학력 중시 사회로 알려져 있으며, 이에 따라 수능과 같은 국가 시험 성적을 최우선으로 여깁니다. 이러한 교육 문화는 학생들에게 경쟁심과 성과 중심의 가치관을 심어줍니다. 이는 개인의 신념에 영향을 주어 성공과 성취를 위해 노력하는 태도를 형성시킬 수 있습니다.

둘째, 세계적인 이슈와 사건들도 대한민국의 교육에 영향을 미칩니다. 예를 들어, 2010년 이후에는 다문화 교육과 인권 교육이 중요한 이슈로 대두되었습니다. 대한민국은 다양한 문화와 인종의 다문화 사회로 변화하면서, 다문화 교육의 필요성이 대두되었습니다. 이에 따라 학교 교육에서는 다양성을 존중하고 이해하는 가치를 강조하며, 개인의 신념에도 이러한 다문화 교육이 영향을 미칠 수 있습니다.

미드저니를 활용해 내용의 이해를 돕기 위한 사진을 생성했다. 프롬프트 - Korean children being educated on human rights issues, CInematic lighting. --ar 16:9

또한, 인권 문제도 대한민국의 교육에 큰 영향을 줍니다. 인권 침해와 사회적 불평등은 교육 과정에서 학생들이 직접 체험하거나 뉴스 등을 통해 접할 수 있습니다. 이러한 사건들은 개인의 신념을 형성하고 인권과 사회 정의에 대한 이해를 도모할 수 있습니다.

예를 들어, 대한민국 내에서의 학교 폭력 사건이나 인권 침해 사례들은 학생들의 인권과 평등에 대한 민감성을 높일 수 있습니다. 이는 개인의 신념 형성에 큰 영향을 미치며, 학생들이 불의에 맞서 싸우고 정의를 추구하는 가치관을 가질 수 있도록 도와줍니다.

또한, 대한민국 교육은 과학과 기술 분야에서의 혁신과 발전에도 영향을 받습니다. 예를 들어, 대한민국은 과학 교육의 발전과정과 함께 과학 대회에서의 성과가 세계적으로 주목받고 있습니다. 이러한 성과는 학생들에게 과학 분야에 대한 관심과 열정을 불러일으킬 수 있으며, 개인의 신념과 진로 선택에 큰 영향을 줄 수 있습니다.

뿐만 아니라, 대한민국 교육은 국제적인 경쟁력과 다양성에 대한 이슈에도 민감하게 반응합니다. 세계적인 경쟁에서 뒤처지지 않기 위해 대한민국은 국제 학교 협력과 국외 교육 프로그램을 도입하고, 외국어 교육에도 힘쓰고 있습니다. 이러한 교육 환경은 학생들에게 다문화 이해와 국제적 시각을 가질 수 있는 기회를 제공하여 개인의 신념과 세계시민으로서의 가치관 형성에 영향을 미칠 수 있습니다.

총체적으로, 대한민국의 교육은 개인의 신념 형성에 많은 영향을 미칩니다. 경쟁과 성취에 대한 강조, 다양한 국내외 이슈와 사건들, 과학과 기술 분야의 혁신, 국제적 경쟁력과 다양성 등 다양한 요소들이 개인의 신념과 가치관을 형성하고 영향을 미칩니다. 대한민국 교육은 이러한 영향들을 통해 학생들에게 사회적 책임감, 인권과 공정성에 대한 이해, 창의력과 협업 능력 등을 강조하며, 개인의 신념과 가치관을 발전시키는 중요한 역할을 수행합니다.

대한민국의 교육은 개인이 가진 신념에 큰 영향을 미칩니다. 대한민국의 교육은 매우 경쟁적이고 성취 지향적이며, 이것은 학생들이 성공하기 위해서는 열심히 일하고 최고가 되어야 한다는 생각을 심어줄 수 있습니다. 이로 인해 학생들은 스트레스를 받고 불안감을 느끼고, 자신에 대한 부정적인 신념을 갖게 될 수 있습니다.

또한 대한민국의 교육은 매우 획일적이며, 이것은 학생들이 자신의 개성과 창의성을 표현하기 어렵게 만들 수 있습니다. 이로 인해 학생들은 지루하고 흥미가 없게 될 수 있으며, 학교에 대한 부정적인 신념을 갖게 될 수 있습니다.

그러나 대한민국의 교육은 개인이 가진 신념에 긍정적인 영향을 미칠 수도 있습니다. 대한민국의 교육은 학생들에게 강한 학업 능력을 개발하고, 성실하고 근면한 태도를 기르도록 도울 수 있습니다. 또한 학생들에게 협력하고 의사 소통하는 방법을 가르칠 수 있습니다. 이러한 자질은 학생들이 직장과 사회에서 성공하는 데 도움이 될 수 있습니다.

전반적으로 대한민국의 교육은 개인이 가진 신념에 큰 영향을 미칩니다. 이 교육은 학생들에게 긍정적인 영향을 미치기도 하고 부정적인 영향을 미치기도 합니다. 학생들은 대한민국의 교육 시스템이 가진 장점과 단점을 인식하고, 자신의 신념을 형성할 때 이러한 요소들을 고려하는 것이 중요합니다.

다음은 대한민국의 교육이 개인이 가진 신념에 미치는 영향의 몇 가지 예입니다.

성공은 성적에 달려 있습니다. 대한민국의 교육은 매우 경쟁적이고 성취 지향적이며, 이것은 학생들이 성공하기 위해서는 열심히 일하고 최고가 되어야 한다는 생각을 심어줄 수 있습니다. 이로 인해 학생들은 스트레스를 받고 불안감을 느끼고, 자신에 대한 부정적인 신념을 갖게 될 수 있습니다.

미드저니를 활용해 업무에 지친 현대인의 모습을 사진으로 표현했다. 프롬프트 - Korean office workers tired of excessive workload. He looks tired in the office., CInematic lighting. --ar 16:9

예를 들어, 대한민국의 학생들은 OECD 국가 중 가장 긴 근무 시간을 가지고 있습니다. 그들은 또한 OECD 국가 중 가장 낮은 수면 시간을 가지고 있습니다. 이러한 과도한 업무량은 학생들에게 스트레스와 불안감을 유발할 수 있으며, 자신에 대한 부정적인 신념으로 이어질 수 있습니다.

창의적이거나 개성이 강하면 성공할 수 없습니다. 대한민국의 교육은 매우 획일적이며, 이것은 학생들이 자신의 개성과 창의성을 표현하기 어렵게 만들 수 있습니다. 이로 인해 학생들은 지루하고 흥미가 없게 될 수 있으며, 학교에 대한 부정적인 신념을 갖게 될 수 있습니다.

예를 들어, 대한민국의 교육 시스템은 학생들이 정답에 도달하도록 강요하는 데 중점을 둡니다. 학생들은 자신의 생각을 표현하거나 창의적인 솔루션을 제시하도록 권장되지 않습니다. 이로 인해 학생들은 지루하고 흥미가 없게 될 수 있으며, 학교에 대한 부정적인 신념을 갖게 될 수 있습니다.

대한민국의 교육 시스템은 긍정적인 영향도 미쳤습니다. 대한민국의 교육 시스템은 학생들에게 강한 학업 능력을 개발하고, 성실하고 근면한 태도를 기르도록 도울 수 있습니다. 또한 학생들에게 협력하고 의사 소통하는 방법을 가르칠 수 있습니다. 이러한 자질은 학생들이 직장과 사회에서 성공하는 데 도움이 될 수 있습니다.

예를 들어, 대한민국의 학생들은 OECD 국가 중 수학, 과학, 읽기

능력에서 가장 높은 점수를 받고 있습니다. 이는 대한민국의 교육 시스템이 학생들에게 강한 학업 능력을 개발하는 데 효과적이라는 것을 보여줍니다. 또한 대한민국의 학생들은 OECD 국가 중 가장 성실하고 근면한 태도를 가지고 있습니다. 이는 대한민국의 교육 시스템이 학생들에게 성실하고 근면한 태도를 기르는 데 효과적이라는 것을 보여줍니다.

대한민국의 교육 시스템이 더 균형 잡히고 창의적인 시스템이 되기를 바랍니다. 대한민국의 교육 시스템이 학생들에게 더 많은 선택권을 주기를 바랍니다. 또한 대한민국의 교육 시스템이 학생들이 자신의 개성과 창의성을 표현할 수 있는 시스템이 되기를 바랍니다.

대한민국의 교육 시스템은 학생들에게 큰 영향을 미치며, 이 시스템은 끊임없이 변화하고 있습니다. 나는 대한민국의 교육 시스템이 학생들에게 더 많은 선택권을 주면서 더 균형 잡히고 창의적인 시스템이 되기를 바랍니다.

Q. 대한민국의 교육은 내가 가진 꿈에 어떤 영향을 미칠까요?

대한민국의 교육은 개인이 가진 꿈에 많은 영향을 미칩니다. 이를 재미있고 구체적으로 설명하기 위해 '의대 선호 현상'과 '물질 만능주의'라는 토픽을 사용하여 예를 들어보겠습니다.

의대 선호 현상은 대한민국에서 흔히 볼 수 있는 현상 중 하나입니다. 많은 학생들이 의사가 되기를 꿈꾸며 공부에 전념하는 모습이 관찰됩니다. 대한민국의 교육은 의료 분야에 대한 교육과 경쟁적인 환경을 제공하며, 이는 개인의 꿈에 큰 영향을 미칩니다.

학교에서는 의학에 관련된 교육과정을 강화하고, 의사가 되기 위한 준비를 위해 다양한 지원과 프로그램을 제공합니다. 이러한 교육은 학생들의 의사관에 영향을 미치고, 의료 분야에 대한 열정과 목표를 가진 개인들이 자신의 꿈을 향해 노력하고 성취해 나갈 수 있도록 돕습니다.

미드저니를 활용해 내용의 이해를 돕기 위한 사진을 생성했다. 프롬프트 - materialistic Koreans.   --ar 16:9

물질 만능주의는 현대 사회에서 널리 보이는 경향 중 하나입니다. 대한민국의 교육은 경제적인 성공과 재물적인 풍요를 강조하는 면이 있습니다. 학생들은 좋은 대학에 진학하고 높은 수입을 얻는 것을 목표로 삼고, 이를 위해 고등 교육을 받습니다. 이러한 교육은 개인의 가치관과 꿈에 영향을 미치며, 자신의 꿈을 실현하는 것보다 외부적인 성공과 물질적인 풍요에 주목하는 경향을 형성할 수 있습니다.

그러나 이러한 현상에도 불구하고, 교육은 개인이 가진 꿈에 긍정적인 영향을 줄 수 있습니다. 학교에서는 다양한 분야에 대한 교육과 프로그램을 제공하여 학생들이 다양한 분야에 대한 꿈을 발견하고 탐구할 수 있도록 돕습니다. 예를 들어, 예술, 과학, 스포츠, 사회공헌 등 다양한 분야에서 특별한 교육과정이나 체험을 제공합니다. 이러한 교육은 개인의 꿈과 열정을 발견하고 추구하는 데 도움을 줄 수 있습니다.

또한, 대한민국의 교육은 창의성과 독립적인 사고를 강조하는 추세입니다. 학교에서는 학생들이 창의적인 문제 해결과 자기주도적인 학습을 할 수 있는 환경을 조성합니다. 이를 통해 학생들은 자신의 꿈에 대한 아이디어를 발전시키고 구체화할 수 있으며, 독립적인 사고와 실행력을 갖추게 됩니다.

또한, 교육은 비판적 사고와 사회적 책임감을 강조하여 개인의 꿈에 영향을 줍니다. 학교에서는 학생들에게 사회적인 문제에 대한 이해와 해결방안을 배우고 사회적 가치에 대한 의식을 함양하는 교육을 제공합니다. 이를 통해 학생들은 자신의 꿈을 추구하는 동시에 사회적인 영향력을 행사하고 사회의 발전에 기여할 수 있는 인재로 성장할 수 있습니다.

요약하자면, 대한민국의 교육은 개인이 가진 꿈에 다양한 영향을 미칩니다. 의대 선호 현상이나 물질 만능주의와 같은 사회적 현상은 개인의 가치관과 꿈에 영향을 미칠 수 있습니다. 그러나 교육은 개인이 자신의 꿈을 발견하고 추구할 수 있는 환경을 제공하며, 창의성, 독립적 사고, 비판적 사고, 사회적 책임감 등을 강조하여 개인의 꿈을 실현하고 사회에 기여할 수 있는 인재로 성장할 수 있도록 돕습니다.

대한민국의 교육은 학생들이 자신의 꿈을 꾸는 방식에 큰 영향을 미칩니다. 대한민국의 교육은 매우 경쟁적이고 성취 지향적입니다. 이것은 학생들이 성공하기 위해서는 열심히 일하고 최고가 되어야 한다는 생각을 심어줄 수 있습니다. 이로 인해 학생들은 스트레스를 받고 불안감을 느끼고, 자신에 대한 부정적인 꿈을 갖게 될 수 있습니다.

대한민국의 교육은 또한 매우 획일적입니다. 이것은 학생들이 자신의 개성과 창의성을 표현하기 어렵게 만들 수 있습니다. 이로 인해 학생들은 지루하고 흥미가 없게 될 수 있으며, 학교에 대한 부정적인 꿈을 갖게 될 수 있습니다.

그러나 대한민국의 교육은 학생들이 자신의 꿈을 꾸는 방식에 긍정적인 영향을 미칠 수도 있습니다. 대한민국의 교육은 학생들에게 강한 학업 능력을 개발하고, 성실하고 근면한 태도를 기르도록 도울 수 있습니다. 또한 학생들에게 협력하고 의사 소통하는 방법을 가르칠 수 있습니다. 이러한 자질은 학생들이 직장과 사회에서 성공하는 데 도움이 될 수 있습니다.

전반적으로 대한민국의 교육은 학생들이 자신의 꿈을 꾸는 방식에 큰 영향을 미칩니다. 이 교육은 학생들에게 긍정적인 영향을 미치기도 하고 부정적인 영향을 미치기도 합니다. 학생들은 대한민국의 교육 시스템이 가진 장점과 단점을 인식하고, 자신의 꿈을 형성할 때 이러한 요소들을 고려하는 것이 중요합니다.

미드저니를 활용해 내용의 이해를 돕기 위한 사진을 생성했다. 프롬프트 - Doctor. Competition. Korean. Entrance exam.   --ar 16:9

다음은 대한민국의 교육이 개인이 가진 꿈에 미치는 영향의 몇 가지 예입니다.

의대 선호 현상

대한민국의 학생들은 의대를 매우 선호합니다. 이는 의사가 사회적 지위가 높고, 높은 연봉을 받을 수 있기 때문입니다. 또한 의사는 안정적인 직업을 가질 수 있기 때문에 학생들에게 인기가 있습니다.

의대 선호 현상은 대한민국의 교육 시스템에 부정적인 영향을 미칩니다. 학생들은 의대를 가기 위해 열심히 공부하고, 다른 꿈을 꾸는 것을 포기할 수 있습니다. 또한 학생들은 의대 입학에만 집중하게 되어, 전반적인 학업 성취도가 저하될 수 있습니다.

대한민국의 교육 시스템은 학생들이 다양한 꿈을 꿀 수 있도록 도와야 합니다. 학생들은 자신의 꿈을 쫓도록 장려받고, 의대를 가기 위해 자신의 꿈을 포기하도록 강요받아서는 안 됩니다.

물질 만능주의

대한민국의 학생들은 물질적인 것에 매우 집착합니다. 이는 대한민국이 매우 경쟁적인 사회이고, 성공하기 위해서는 돈이 필요하다는 생각 때문입니다. 또한 대한민국은 물질적인 것에 대한 가치가 매우 높은 문화입니다.

물질 만능주의는 대한민국의 교육 시스템에 부정적인 영향을 미칩니다. 학생들은 돈을 벌기 위해 열심히 공부하고, 다른 꿈을 꾸는 것을 포기할 수 있습니다. 또한 학생들은 돈에만 집중하게 되어, 전반적인 학업 성취도가 저하될 수 있습니다.

대한민국의 교육 시스템은 학생들이 다양한 꿈을 꿀 수 있도록 도와야 합니다. 학생들은 자신의 꿈을 쫓도록 장려받고, 돈을 벌기 위해 자신의 꿈을 포기하도록 강요받아서는 안 됩니다.

예를 들어, A라는 학생은 어렸을 때부터 화가가 되고 싶었습니다. 그는 그림을 그리고 그림을 그리는 것을 좋아했습니다. 그러나 그의 부모는 그가 의대에 가기를 원했습니다. 그들은 의사가 사회적 지위가 높고, 높은 연봉을 받을 수 있다고 생각했습니다.

A 학생은 부모님을 실망시키고 싶지 않았기 때문에 의대에 가기로 동의했습니다. 그는 의대에 열심히 공부했지만 결코 그림을 그리지 않았습니다. 그는 의대에 합격했지만 행복하지 않았습니다. 그는 자신이 원하는 것을 하지 않았다는 것을 깨달았습니다. 그는 결국 의대를 그만두고 화가가 되기로 결정했습니다. 처음에는 힘들었지만 결국 자신의 꿈을 이루었습니다.

A 학생의 경우, 그는 자신의 꿈을 쫓은 것이 기쁩니다. 그는 화가로서 성공했고 자신의 일을 사랑합니다. 그는 또한 부모님을 실망시키지 않았습니다. 그들은 결국 그의 결정을 받아들이고 그의 성공을 자랑스러워했습니다.

A 학생의 이야기는 다른 학생들에게 영감을 줄 수 있습니다. 그들은 자신의 꿈을 쫓고, 다른 사람들의 기대에 맞춰 꿈을 포기하지 말아야 한다는 것을 배울 수 있습니다.